JN121075

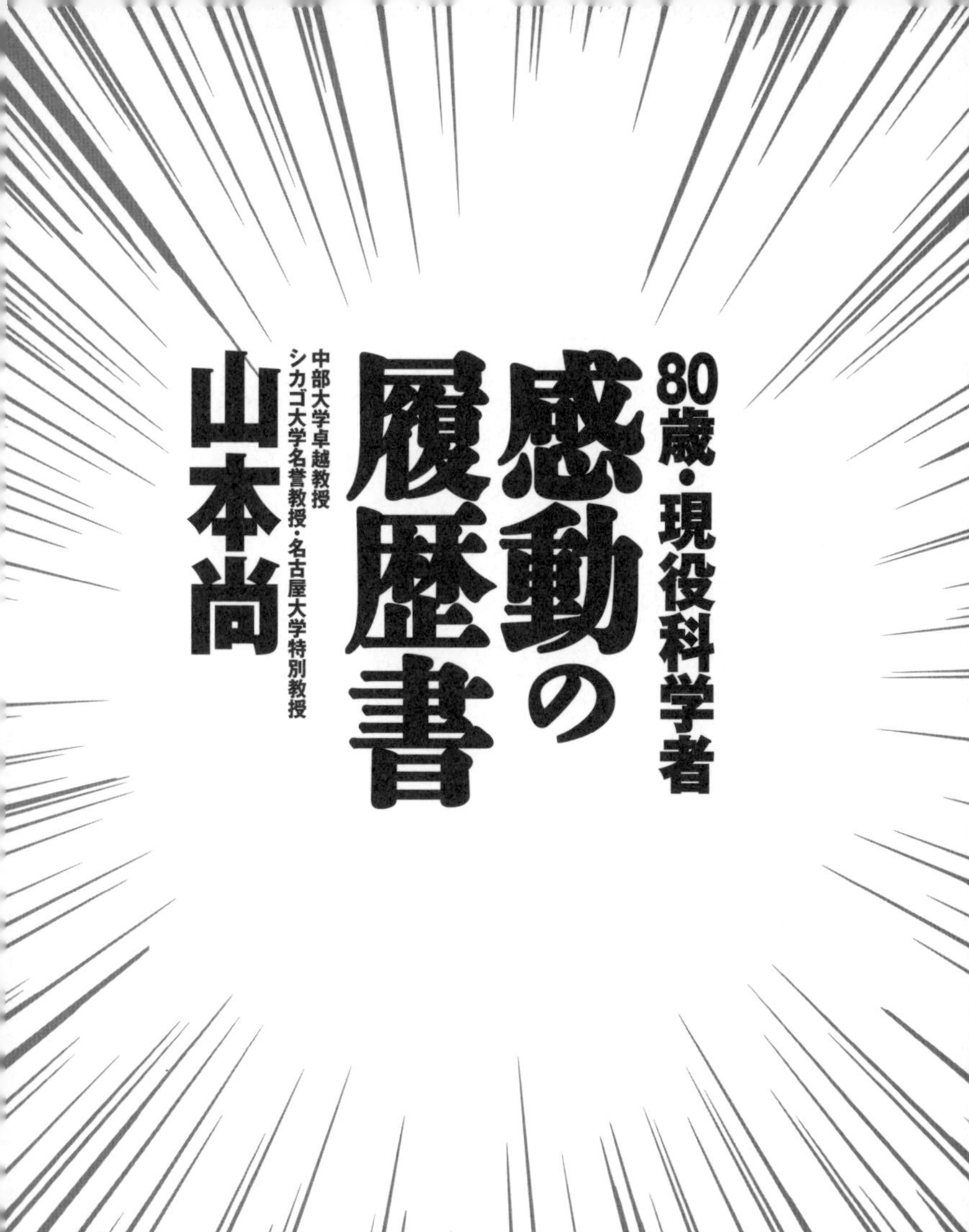

80歳・現役科学者

感動の履歴書

中部大学卓越教授
シカゴ大学名誉教授・名古屋大学特別教授

山本尚

産經新聞出版

はじめに

私は現在、80歳である。

その私が日本学術振興会より科学研究費助成事業の「特別推進研究」として研究費をいただいた。まさかこのような幸運を期待していなかった私には、夢を見ているような朗報であった。2023（令和5）年度から5年間で5億円という個人としては最高額の研究費である。

研究費をいただくことになったとき、私はすでに79歳だった。この年齢でこうした資金を獲得することは極めて異例のことだろう。しかし、高年齢でも素晴らしい仕事はできる。もちろん若い人でも可能なのだ。どんな年齢でも決して諦めないでほしい。

私は20歳のときに研究を始めて60年間の研究生活を送ってきたが、現在行っているペプチド（タンパク質の一部）の合成の研究では、生まれて初めてこれこそが「破壊的イノベーション」だと自分で確信する結果が得られた。60年来の持続的な改革が進んできたペプチド合成の分野であるため、その結果に「本当か?」と自分でも信じられなかった。自分自身に「そんなはずはない」と言い聞かせていたくらいだ。しかし結果は事実「破壊的イノベーション」だった。

これまでの私の人生は実に波瀾万丈であった。

たくさんの失敗と、たくさんの素敵な思い出がぎっしり詰まっている。

そして、今、私は生涯最大の仕事に挑戦している。あと5年で終わるのか、それ以上かかるのかはわからない。しかし、生まれて初めて社会に役立つことに挑戦し完成させるのだ。

毎日、それればかり考えている。考えることに、これほど集中するのははじめてだ。

ほとんど何も考えなかった小学校、中学校、そして高等学校、浪人時代、大学、大学院でも好きなことしかしなかったわがままな私がいた。

その後は、大向こうの喝采を目指した研究の半世紀であった。世界の研究者をびっくりさせることだけが私の目標であった。それなりに新しいコンセプトをいくつも発表し、分野を牽引してきた得意満面の半世紀だった。

しかし、社会への貢献には遠かった。いつの日か社会の役に立つかも知れなかったが、膨大な化学の世界に私の貢献は埋もれてゆくようにも感じていた。

もし、ノーベル賞などをいただいたら、私の人生はそれで終結していただろう。

その半世紀の間、何社かのコンサルティングを行っていた。工業的合成に役に立つことに集中したコンサルティングである。

企業にゆき、コンサルティングをするたびに、相手の人がそれまで決して考えなかったアイデアを話すことだけを心掛けてきた。しかし、いつの日か、自分自身の研究に不満を感じるようになった。本当の意味で人の役に立つことを夢見るようになり始めた。

そして数年が過ぎた。その間は私には本当は何をしたらいいかをずっと考える時間となった。ペプチドの合成に賭ける気持ちになったのはその時である。

ペプチドのゲーム・チェンジの合成に成功すれば、合成がボトルネックになっていた中分子創薬に新しい風を吹き込むことになる。

それまでの科学の研究では目標はいつもはっきりしていた。考えなくても、自然にアイデアが湧き出てくる。しかし、狭いペプチドの分野では生やさしいものではなかった。制限のあるフィールドだ。

だが目標だけは動かせない。ペプチドのゲーム・チェンジとなる合成である。やり始めると、自分の無知が歯痒かった。これではダメだと、何度も失望するうち、ようやくペプチドになれてきた。それまで数年かかった。全く初心者からの研究であった。それまでの半世紀の私の研究を、それなりにペプチド合成に使ってみた。私には当たり前の反応を使うと、ペプチドでは思いがけない新反応になっていた。

そしてその日が来た。私はアミドからアミドを合成することを狙った。禅問答のようなこの合言葉、誰も考えないこれが、大当たりであった。やっと、「破壊的イノベーション」に成功したと思った。幸せな時間だった。

今は生きているという実感がある。そこで、故郷をもう一度訪ねてみたくなってきた。もう一度自分自身の出発点を確認し、その上に仕事を見直してみたい。

久しぶりに訪れた故郷は私には幼い時代とは全く違った世界だったが、優しく受け入れてくれた。そして、この故郷をベースに生涯のたった一つの仕事を全力で挑戦する気持ちになった。

はじめに

私は従来のペプチド合成を根底から覆し、全く新しい合成法を提案した。これによって、世界中のペプチド合成は数年以内に大きな変革を余儀なくされるだろう。

この全く新しいペプチド合成法は医薬分野を変える。

私は今、5億円という大きな研究費で「破壊的イノベーション」を完全なものにしようとしている。この60年目の幸運は誰にでもあることではないだろう。

もう一度言う。決して諦めないでほしい。頑張れば、成功の女神が微笑んでくれることもあるのだ。

本書は、私が何に関心を抱き、どのような経験をし、どんなふうに感動をしてきたかを綴ったものである。

どのような人たちと巡り会うことによって「破壊的イノベーション」を起こし得る化学者となったのか。80歳の今も「美しい化学」を追い求める現役の科学者であり続けることができるのはなぜなのか。

本書は日本の未来を拓く「科学者の作り方」であるとも言える。

「創造」の扉を開こうとする全ての人たちの参考になれば幸いである。

感動の履歴書◎目次

私の破壊的イノベーション
医薬のイノベーション
個人最高額の研究費
誰が研究目標を決めるのか
創造過程を知らない文官
24時間考えを絞れ
まっさらな学問を
化学という無二の親友

装幀／神長文夫＋柏田幸子
ＤＴＰ製作／荒川典久

第1章　ずっと化学が好きだった

行商人の楽しい実験

私は神戸市（兵庫県）にある御影駅近くの幼稚園に入園した。さまざまな遊戯や教育は記憶になく、讃美歌くらいしか覚えていないが、幼稚園が終わった後は、毎日近くの母の実家で姉が来るのを数時間待っていた。

その間は、従兄弟と庭で楽しく遊んでいたが、その庭は数万坪にもなるもので、遊び場が山ほどある。サトウキビを作っていて、それをとって食べたのも懐かしい。見渡す限りのコスモスや、夾竹桃の森、また祖母が作っていた大きな胡麻の畑など、あまり街では見かけない風景が素晴らしかった。離れの屋敷から、遠く聞こえてくる祖母やその来客の「謡」の声も懐かしい。大きな蔵もあった。以前は数棟あったものが空襲で焼けてしまい、一つだけになった焼け残りであった。

庭で遊んで数時間後、姉と手を繋いで魚崎駅（神戸市）の自宅まで毎日のように帰ったが、その手の感触など、温かい思い出として、しっかりと私の記憶に埋め込まれている。

早逝した姉は私を大変可愛がってくれた。有能な女性で、後に大きな料亭の女将の役を頼まれて見事にこなしていたのも懐かしい。小磯良平さん（洋画家。故人）について、絵を習っていた。彼女の絵を私は大好きだった。

兄や姉は御影にある兵庫県師範学校御影附属小学校（神戸大学附属中等教育学校の前身）に通っていた。私もそうなると思っていたが、その年から始まったのが抽選の制度である。帰宅した母が「だめだった」と失望した声で話した。これが私の最初のつまずきである。

そうなると別の小学校を探すしかない。附属小学校の卒業生は神戸や阪神間で大きな影響力があったが、新しい小学校ではそうした影響力がないという。いろいろと探した結果、芦屋市立山手小学校に入学が決まった。

山手小学校は阪急電車の芦屋川駅から、川に沿って少し上り、あとは急な坂を10分ほど登ったところにある。学校での勉強はそれほど面白くなかったが、行き帰りの道草はとても面白かった。学校の帰りの道端に行商の人が数人店を開いている。さまざまなものを子供たちに売っていて、見ていて飽きない。たとえば、穴をたくさん開けた紙を別の紙にのせて、そこに煤を満遍なく刷り込み、穴の紙を取り去ると、黒い点だけ残る。これに沿って線を書くことで絵が描ける。また、新聞を別の紙の上にのせ、そこにある液体を染み込ますと、新聞をどけた後に下の紙に文字が写っていたりする。そんな非常に簡単な仕組みが楽しかった。

考えてみると、その頃から化学が好きだったようだ。毎年、『少年朝日年鑑』を買って読むと、原子の仕組みが結構詳しく書いてあった。核の周りに電子が回っている。すごいと思った。その後、中学校で学ぶことをすでに予習していた。

小学校では絵日記を書かなければならなかったが、私はこうした継続的努力は不得意で、何も描かずにほうっておいたら先生に叱られた。そこで文章だけは自分で書いたが、絵は姉に全部描いてもらった。玄人はだしの上手な絵で、ずるは一目瞭然だが、先生は何も言わなかった。いい先生だった。

一方、調べごとは大好きだった。テルミット反応（アルミニウムで金属酸化物を還元する化学的変化）の原理まで、勉強していた。アルミと硫黄（いおう）の粉末を発火させると高い温度が出るという。そこでアルミの板を拾ってきて、ヤスリで丹念にすりつぶし、できた粉末と硫黄の粉末をまぜ、鉄の板に載せて下からベンゼンの炎で焼くと小さな爆発が起こった。この危険な遊びを楽しんだのもこの頃である。その粉末を鉛筆のキャップにしっかり詰めて、下から炎を燃やすと素晴らしい音でキャップが飛んでゆく。これはその後の私の小さなロケットづくりに結びついた。

自分宿題

小学校で一番楽しかったのは新阜正義先生の宿題だった。「先生は宿題を出さないから、みんなは自分で自分の宿題を作り、その宿題をやってきなさい」と言われる。毎日の自分宿題である。毎朝、先生に自分の宿題の結果を見せると、先生は三段階で評点のレッテルをくれる。これを教室に貼ってある全員のリストで、自分の今日のところに貼り付ける。すると毎月一枚の大きな評点表ができる。

何より自分で宿題を考えるのが、嬉しかった。毎日何かを作って持っていくのが楽しみだったのだ。当時は何かを作ろうとしても、材料は手に入らないので、全て手作りである。サバ缶を大きな裁ち鋏で開いて金槌で平らに叩き、それを何枚も重ねることでさまざまなものを作った。きちんと切って、張り合わせ、ニクロム線で巻いて、磁石を作った。それをさらに大きくしてモーターを作り、乾電池で回した。軸は竹の棒である。これは新阜先生にすごく褒められ鼻高々だった。

ときどき「まくり」を飲まされた。赤黒い液体で気味が悪い。昔は多くの子供は回虫（寄生虫）を持っていた。まくりはこの駆虫薬である。赤い海藻から作ったものだが、その香りはこの世のものとは思われぬほどの臭さである。これを子供一人で２００ccくらいは飲まされる。最初の一口で体はひっくり返るほど嫌がっている。確かに「回虫さん」が嫌になるはずだ。いくら早く飲んでしまいたくても、どうしても15分くらいはかかる。子供によっては30分程かかる子もいる。たいていは翌朝のトイレで回虫を確認する。そのうち錠剤にかわって、まくりから解放された。今でも夢に見るほどの気味の悪い飲み物だった。

その代わり、学校では毎日パンを焼いてくれた。11時半頃になると、校舎は焼いたパンの香りで満たされる。給食室に行ってカゴいっぱいのパンをクラスに持って帰る。このパンの香りは私たちにとって世の中で一番好きなものだった。それまでの不味いコッペパンとは同じパンとは思えなかった。また、赤いジュースをいただいたのが、とても美味しかった。クランベリーかザクロだと思うが、いまだにこれより美味しいジュースには出会っていない。考えてみると、芦屋の学校なので結構贅沢だったのだろう。

私は4人兄弟の一番下だ。姉と二人の兄である。姉は絵を描くのが素晴らしく上手だった。とても頭のいい人で知能テストで兵庫県の文字通りトップの成績と聞いた。兄二人もその点では引けを取らない。私は知能テストは最低で、悔しかった。

すぐ上の兄は野依良治（のよりりょうじ）先生（2001年ノーベル化学賞受賞）と小学校から高校まで同級だった。その兄は電車が大好きで、電車の模型を作るのが趣味だった。

ある日、兄に新しい電車の発表会に連れていってもらった。彼は巻尺を持参し、電車を見るのでなく、電車の窓のサイズや縦横のサイズを測っては紙に書いていた。「何をしているの？」と聞いても、教えてくれない。時間いっぱいその測定だけで終わる。

帰ると自分で測ったデータをもとに電車の模型をボール紙と接着剤だけで作り上げていた。しかも、予めデータに基づいて精密な青写真を作り、近くのラボで、本物の青写真に仕上げていた。この人にはとても敵（かな）わないと思ったものだ。

また上の兄は高校のときに、当時、日本で放送が始まったテレビを、父から言われて自分で作っていた。この人にも歯が立たなかった。

「トム・ソーヤー」よりかっこいい

夙川（兵庫県西宮市）の自宅の周りには小さな山がいくつもあった。小さいと言っても、幅が1キロくらいで、そこが私の居場所である。山が大好きで、グミや山桃、スカンポ、菱(ひし)の実(み)、胡桃(くるみ)、柿などの食べ物も四季を通じて食べられる。昔の防空壕だろうか。奥行き10メートルくらいの洞穴(ほらあな)がいくつもあり、そこを自分の基地にしていた。

野坂昭如(のさかあきゆき)氏の『火垂るの墓』が原作のアニメの舞台で、今では有名なニテコ池も自宅から歩いて15分くらいだ。小学生の私は一日の大半をこの山で過ごした。様々な小動物や昆虫が私の友達だった。私の基地にゆく道には落とし穴を作ったりしていた。基地に行くといつも気持ちが落ち着く。この大きな自然が幼い私を作ってくれた。のちに読んだ『トム・ソーヤーの冒険』（マーク・トウェイン著）で、似たことをする人もいるものだと面白かったが、木の上の基地より、洞窟の方がかっこいいと自分を褒めていた。

山手小学校は、少し歩くとどこまでも続く恐ろしく広い裏山があり、先生は時間が余るとその裏山へ私たちを連れてゆき、1時間くらいはそこで自由に遊ばしてくれた。ご自分はゆっくりとタバコを吸っていた。禿山（はげやま）といった感じで、走り回るのに最適の場所だ。いろんな花が印象的だった。今考えると、ここもまた素晴らしい自然の環境で、その中で私は育ったと思う。

　その頃、小学校ではドッジボールが最盛であった。私は大嫌いだった。人にボールを当てて喜ぶ人の気持ちがわからなかった。何か「優しさ」がないスポーツに思えたのだ。はじまると私は逃げてばかりだった。おかげでスポーツは完全に不得意というレッテルをいただいた。

　小学校では時折、オーケストラを呼んで生徒を講堂に集めてコンサートを開いてくれた。ぎっしり詰め込まれたが、初めて聴く生のクラシック音楽であった。私は『アルルの女』の曲が本当に好きになった。感受性の強い子供たちへの素晴らしい贈り物だった。

　ある日、先生が、書類を入れた封筒を生徒の一人ずつに渡して、「親に渡しなさい」と言われた。私は「何か悪いことでも書いてあるのだ」と心配になり、帰る道でそっと開封してみた。クラス全員の評点がずらりと書いてある。なんのことかよくわからなかったが、よく見ると一番上に私の名前のハンコが押してあった。しばらく考えると、どうやらクラスの席次表のようだ。そして私は50人のトップだったようだ。不思議な気持ちだったが、悪い気はしない。帰って親に見せると「よかったね」と言ってくれた。そこで初めてテストのときに良い点を取ることが大切だと気がついた。それ以来、1年間ずっとトップだった。そのことで兄が通っていた灘中（灘中学校）にゆきなさいと薦められた。

灘中の入学試験には母親が連れて行ってくれた。しかし、のんびりした母は時間を間違え、試験開始から1時間も遅れて到着した。母は「大丈夫」と呑気な顔だったが、最後は走ってテストの部屋に入り、ぜいぜいしながら試験を始めた。遅刻をしても受験させてくれたのは、今から考えると不思議だ。遅刻のため数学の試験は、皆の半分くらいの時間しかなかった。

数週間後に結果の発表だった。びっくりしたことに私は合格していた。後で聞くと150人の合格者の中で100番くらいだった。

それでも通ったのだから、入学できる。入学の服装の準備である。自分でも、みんなと比べて自分の頭が大きいと思っていたが、有名なバフン色の帽子をきめるとき、頭が大きすぎてサイズがなかった。係の人は気の毒そうだったが、私はすっかり傷ついてしまった。

ピタゴラスの定理を自分流に

学校が始まると、すぐにわかったことがあった。級友の半分くらいは記憶力が抜群で、一度何かを見るとすぐに全部の詳細が言える。そのときはわからなかったが、いわゆる「写真記憶」である。私は決して記憶力が悪いわけではなかったが、彼らから比べるとお話にならない。こんな不公平なことがあるのだと思った。

たとえば、英語にしても、私は苦心惨憺で覚えることが、彼らは10分もあれば全部暗記できる。これで戦意消失した。そして面白いと思った科目しか勉強しなくなった。化学、物理、そして幾何は面白かった。幾何に比べ、代数は大嫌いだ。代数は私には美しいとは思えなかった。最初の試験では、右半分は幾何で、左半分は代数である。採点した試験は、幾何は満点で150人中トップ、代数は13点で150番のビリだ。先生はおかしな子と思っただろうが、この先生からは6年間とても贔屓にしてもらった。こうして灘中から灘高までの6年間が始まった。

灘の先生は中高6年間の持ち上がりだ。だから英語、数学、国語はずっと6年間同じ先生に教えてもらった。それぞれ個性の強い先生で自分流の教育が徹底している。

国語の先生はその後、有名になった橋本武先生（故人）である。教材は『銀の匙』という中勘助の短い自叙伝で岩波文庫の星（★）一つの薄さ（岩波文庫は★で価格を設定）である。これを3年間かけて読む。いろいろな明治時代の家庭の話が独特の文章で続く。授業は1週間で1ページの半分くらいしか進まないことも多い。たとえば七福神という言葉が出てくると、中国や日本の昔に戻って、徹底的に調べる。

さらには京都に遠足にゆくと決まると、訪ねる寺院や庭園の歴史を材料にして数日は話が広がってゆく。私たちが日本人であるための必要な常識を徹底して身につけさせてくれた。

先生は気が向くと中勘助の詩を朗読してくれる。これは大好きだった。夏休みなどには、先生のご自宅を訪ねて、いろいろな話を伺うのが恒例になっていた。先生の作られる『銀の匙』のプリントは本に綴じられ、毎学期配られる。今も大切にしまっている宝物だ。

英語の先生は、なぜ日本人は英語が不得意なのかを教えてくれた。普通は学ばないNature calls me!（私はトイレに行きたい）をその言葉の発生源まで遡って教えてくれる。

特に発音にはとても厳しい先生であった。大学の入学試験には役に立たないことを教えてくれて、英語への塀（へい）を取り除いてくれたようだ。先生は小豆島（しょうどしま）に別荘を持っていて、夏に友人と訪ねて行ったのも素敵な思い出である。

数学の先生は昔の日本兵のような厳しさがあった。能や狂言が大好きで、時間の余裕があると狂言を数十分、自分で歌い上げて生徒に聞かせてくれた。祖母の謡が大好きなせいで、この時間を楽しめた。教育の方法も独特で、中学1年の夏休みの宿題に「ピタゴラスの定理を自分流に証明しなさい」という課題をいただいた。自分流ということは教科書などに書いてある証明は使えない。全く自分だけで考えないといけないのだ。

この課題に１５０人の生徒のうち80人くらいがオリジナルな証明を提出した。先生はそれを集めてしっかりしたプリント本にまとめて、私たちに配布してくれた。なんとなく数学の香りを感じたのは私だけだろうか。

灘の先生の手書き教科書

化学の先生は大阪大学（阪大）を卒業されてから、企業に数年勤めて、灘に来られた人だ。この先生から化学のイロハを教えていただいた。未だに大切にしている先生からいただいたプリント教科書は、１００ページにわたって有機化学の入門がぎっしりと先生の特有の字体で書き込まれている。中学1年の最初は1から１００までのギリシャ語からだ。命名法のベースから勉強しようという。化学の面白さをしっかりと教えていただき、私はすぐに化学研究部に入部した。先生は化学が分子を通して新しい物質を作ることができることを教えてくれたのだ。

化学だけでなく、長い休暇を使って、美ケ原（うつくしがはら）（八ヶ岳中信高原国定公園）などに化学研究部で旅行したのも、素敵な思い出である。

その後、先生が忙しいときには阪大の工学部の教授が時折、化学を教えに灘に来られるようになった。この先生はドイツ語が得意で、ときどきドイツ語で化学を説明してくれる。

その頃はまだドイツが化学の源流を作った時代である。

ある日、クラスが騒がしかったときに、「君たちが僕の言葉を聞かないなら、残りの時間はドイツ語で喋るからね」と言われ、半分の時間はドイツ語だった。その後、クラスは誰ひとり喋る人はいなかった。この先生のご自宅にも何度かお伺いして、化学のお話を聞くのが楽しみだった。

私はその頃は化学がすっかり得意科目になっていて、ノートには講義を英語で書くことを始めていた。また、大学で使う有機化学の教科書、フィーザー（ルイス・フィーザー。アメリカの化学者）の「イントロダクション」（Introduction to organic chemistry, by Louis F. Fieser and Mary Fieser Maruzen Asian ed）を丸善で購入して、６００ページくらいの大部だが、何度も読み返していた。

化学研究部にも青春の大切な時間をいただいた。化学の様々な実験をおこなったが、中でもサッカリン（人工甘味料）の合成はとても印象に残っている。出来上がった真っ白な結晶が眩（まぶ）しかった。

先生に言えない結構、危ない実験をこっそりおこなっていた。先生方が私たちになんの干渉もされなかったのは本当にありがたかった。灘は男子校だったので、近くの女子校の文化祭に参加して、女子生徒たちと化学の話をするのはドキドキした。

しかし、私たちの文化祭のレベルは圧倒的だった。灘の文化祭は数日は徹夜をして作り上げたものだ。一番の「つかみ」の実験は手を燃やす実験である。濃い食塩水とジエチルエーテル（エーテル）を用意する。手を食塩水にしっかりと浸し、その後エーテルにつける。そこでライターで火をつけると手が燃えあがっているように見える。しかし食塩水のおかげで手は全く熱くない。炎にびっくりする人の顔を見て嬉しかった。

化学教室の準備室は私たちの溜まり場だった。結構たくさんの試薬が揃っており、私はいつの間にかどの棚にどの試薬があるかを全て覚えていた。

化学研究部で遊んでいるうちに、友人たちは大学を目指して着々と準備を進めていたらしい。私たちが中学の3年生だった折に、友人の一人が大学入試のための旺文社の全国模擬試験を受験していた。全国で何万人もの受験者の中で、彼はなんと50番以内に入っていたのである。「あと3年間、何するんや」と、みなに揶揄（からか）われていた。

大きな挫折

化学、物理、幾何しか勉強しなかった私は、自宅の裏の空き地を使って、花を作っていた。１００坪以上はあったと思うが、自分で耕し、様々な花を植えた。京都のタキイ種苗から、種、球根、苗を購入して、実に様々な花を作った。花が双葉を出したところで、私はどの花かを言い当てることができるようになった。

特にバラは大好きで、30種類ほどのバラを植えた。１メールほど掘り上げて、堆肥を贅沢にいれて、肥料を加え、バラの苗を植える。戦後の平和を謳った「ピース」は実に名花だった。「朝日バラ協会」（朝日新聞主宰）に参加したのもこの頃だ。高校生のメンバーは珍しかったと思うが、よく会の集まりに参加した。行くと不振そうに見られる。

しかし、バラは私の得意の花で、六麓荘町（兵庫県芦屋市）の自宅の隣のおじさんが俳画を楽しんでおられたので、バラを切って持っていった。とても喜んでいただき、描いた絵や、また論語の揮毫をいただいた。教授のおじさんは、『白い巨塔』（山崎豊子氏の小説）

の東貞蔵浪速大学教授のモデルとなった方である。

仲の良かった息子さんに案内してもらい、自宅の2階の大量の蝶がある標本室を見せていただいたのが息を呑むほど素晴らしかったし、先生の作った篆刻の収集もすごかった。中国旅行記を漢文で書いた本をいただいたりもした。

先生の文化の香りが私を圧倒し、教授とはなんとすごい人だと思ったものだ。美人の娘さんは兄と付き合っていたが、大阪大学からカリフォルニア大学バークレイ校に留学された。のちに私のハーバード大学への留学を助けていただいた。

私は、高校を卒業したら京都大学（京大）に行きたいと思っていた。二人の兄が京大だった影響もあったが、京大工学部の新進である野崎一先生（京都大学名誉教授。故人）の講座に入りたかったのだ。先生の様々な新しいプロジェクトにとても憧れていた。文字通り、日本で一番の研究室だと思っていた。

兄たちが現役で京大に入っていたので、私も問題なく入れると思っていた。ところが入試では特に調子が悪いこともなかったが、見事に失敗した。後で聞くと工学部工業化学科の入学定員は50人であり私の入試の成績は51番で合格には5点足りなかったそうだ。教育学部などの文系の多くの学部で考えれば、私の得点は合格ラインの遥かに上であったとも聞いた。しかし、そんなことを聞いても嬉しくなかった。私は失敗したのだ。人生で最初の大きな挫折だった。

しかし考えてみると、ろくに受験勉強もしていなかった私が合格するのはおかしい。自業自得と思うほかない。そして失敗の味を嫌というほど味わった。友人には「私が大学に入らないことで、日本の科学の進歩が1年遅れた」という強がりを言っていた。

父は自宅で浪人生活をすることは許さない、京大の近くで下宿しろという。そこで次兄の下宿をそのまま受け継いで私が使うことになった。京大の塀から100メートルも離れていない場所だ。そこから近畿予備校に通った。

朝イチで下宿を出て、出町（河原町今出川の一帯）の予備校にゆくが、ちょうど京大に合格した同級生と逆向きですれ違う。毎日が、この屈服のセレモニーのようなものだった。

京大合格の日に

しかし、私にはなぜ入試に失敗したかをじっくり考える時間が無限にあった。その結果、私は自分が間違っていたことを認めざるを得なかった。

私は基本的には好きな科目しか勉強しなかった。好きな科目の点数はもうそんなに上がらないが、嫌いな科目の点は少しの努力で上げられるだろう。

もっと大切なことは3時間勉強したとして、翌日はその何%が記憶に残っているかということである。仮に翌日には記憶が半分くらいになるとすると1週間もすれば3時間の努力の結果はほとんど消えてゆくことになる。これを防ぐ必要がある。

そこで毎日全ての科目を満遍なく勉強することにした。特に行ったのは京大の過去の入試問題をその規定の時間内にやることだ。その後、自分で採点する。そして自分が知らなかったことを自分の文章で1行から2行にまとめる。これを全ての科目で行う。その日に分かったことを集めるとノート1ページの3分の1くらいの量になる。これを毎朝声に出して読むのである。

これを毎日積み重ねてゆく。記憶の消失を最低限にとどめるのだ。

ひと月ほど経つと、この朝の読み上げは大変な量になるが、そのときにはほとんど覚えており、簡単に読み通すことが可能である。お経のようなものだ。この手法でしばらくして、予備校の模擬テストで私は一気に数千人のトップになり、その後もトップを取り続けることができた。

英語はそれでも不得意な方だった。そこで親戚で京大教授の吉川幸次郎（よしかわこうじろう）先生（中国文学者、京都大学名誉教授。故人）に外国語の習得について聞きにいった。先生は中国語が日本で最も上手な人と言われていた。吉川先生が教えてくれたことは後戻りするなということだった。文章を読み出したら、元に戻ってはダメで、先へ先へと進んでゆくのがいいと言われた。言語というものは一度耳に入ると二度とは聞けないものだからだそうだ。これは英文を理解する上で大変に参考になった。

そんなふうにして京大の入学試験の日になった。当日はとにかく消しゴムを使わないように努力した。消しゴムは完全に自信を持って書いていないから必要になる。絶対に正解を書くという心意気が必要だ。

そして、試験は瞬くうちに終わった。しばらくしてから結果の発表。合格していた。しかもトップの成績だったそうである。1年間の勝負に勝った。

合格が分かった日に、私は高槻（大阪府高槻市）の野崎先生のご自宅を訪ねた。先生のグループに入れてくださいとお願いするためだ。先生は大笑いして、「教養部をきちんと仕上げてから、いらっしゃい」と言ってくれた。私は化学を勉強したくて京大に入ったのだ。その他のことは余分のことで、私には不必要だと思った。大学の在り方だろうが、私の気持ちは大切にするべきだと今も思う。

第2章　京都大学とハーバード大学

「私がするべきことではない」

1963（昭和38）年、私は京都大学に入学した。

あるとき退屈な教養部の時代の記念に旅行をしようと思いついた。旅行をする限り、人のあまり行かないところに行きたい。私は奄美大島（あまみおおしま）に行きたかった。当時は観光で訪れる人は少なかった。行き先は沖縄でもよかったが、旅券のことなど鬱陶（うっとう）しいことは嫌だった。調べると奄美大島へは神戸から船に乗って行くしかないようだ。親友と二人でゆくことになった。

神戸に到着し、船を探した。登船し、離岸してからの神戸の街は素晴らしい景色だった。景色を楽しんでから、客席を探すと「そんなものはない」という。船底に皆ぎっしりとごろ寝しているのだ。場所を探して横になった。しばらくして、少し船が揺れ始めた。

それからが凄い。周りが皆吐く。その臭気で自分も吐き気がする。なぜかたくさん置いてある洗面器の役割はそれなのだ。吐き疲れて寝てしまう。目が覚めたら、奄美市にかなり近いところに来ていた。

岸壁から離れたところで小船に乗りかえ無事到着して、さてどうするか。実は全く予定を立てていなかった。二人で小さな観光案内所を探して入った。女性がたった一人。「私が作ってあげよう」と、彼女がその後の1週間のスケジュールを全部立ててくれた。ありがたい。奄美大島から、沖永良部島、徳之島と3島をしっかり見るプランだ。

しかし、大島の西郷隆盛が住んでいた家や、大島紬の工場、また、ハブとマングースとの戦いなどは、面白かったが感動はしない。自分で島を適当に歩いて見つけたことの方がもっと面白く、この島が大好きになる。

旅行社の女性は、数年経ってから友人の恋人になったと知って、びっくりした。全く気づかなかった私はその点、本当に幼かった。

島内を歩いているうちに見つけたのは、広い墓だ。本土よりはるかに広い。そして納骨されている箱の立派な扉を開けると（ごめんなさい）髑髏などの人骨がしっかりと重なっている。ショックだった。後で知ったことは奄美大島の鳥葬という風習だ。

また植生も全く違う。ブーゲンビリアが全く珍しくない。おかげで日本とは異なる自然と文化を眺めることができた。

次の島に行くにも船しかない。しかも、奄美以外は港も小さく、船が到着しても岸壁にはつけられない。港では大きな船から、小さな船に飛び乗って、岸壁までゆく。

中でも沖永良部島はとても印象に残っている。とりわけ海の美しさは比類がない。水がこんなに透明で美しいとは信じられないほどだ。海辺を歩いていると、どうしても海の中に入りたくなり、リーフ沿いにかなり沖まで歩いた。上から見ると、珊瑚（さんご）の美しさと、中で泳いでいる魚の美しさに驚く。その後、ハワイや海外のいろいろな海のきれいな場所に行ったが、当時の沖永良部島の美しさにはほど遠かった。

また、島の広大な砂糖きび畑を、いつまで歩いても誰にも会わない。少し遅くなり、やっと見つけたバスに乗せていただいた。青年会の集まりだったそうだが、乗客の女性の美しさにど肝を抜かれた。日本人ののっぺりした顔ではない。ここは本土とは違うことがはっきりわかる。声をかけたかったが、とても話しかける勇気はなかった。今でも残念な記憶である。

帰りの海が光っていたのも印象が鮮やかである。「夜光虫」か「海ほたる」かはわからないが、その美しさは強烈である。さまざまな経験をしたが、日本の自然の美しさをしみじみと考える機会をいただいた1週間はあっという間に終わった。

教養部の2年間、ビリヤードに一時没頭した時期がある。4つ玉のゲームだが、なんと面白いゲームだと思ったものだ。まさに、私の大好きだった幾何学と相通じるところを感じた。数カ月は本当にハマってしまったが、ある日「これは私がするべきことではない」と不意に思い、それ以降、キューを持ったことはない。

今から考えると、当時は何もかも安かった。市電が乗り放題で13円、銭湯も同じ値段だ。浪人時代と違い、学生生活は新鮮で楽しい。親とは離れて生活するのも刺激的である。

冬の寒さも京都のしるしだろうと我慢する。しかし、あまりに寒いので、親に石油ヒーターを買ってもらった。どうしてもバーラーの製品を買いなさいと親が言ったため、部屋には異色の高価な家具となった。でも高級な品にはそれなりに良いところがあることを学んだ。

野依先生のペン習字

大学3年生になると、専門の講義が始まった。やっと本物の化学の勉強である。当時は、化学では英語よりドイツ語の方が大切とされていた時代だ。特に分析化学ではレポートもドイツ語で提出しなければならない。タイプライターを買って、タイプして提出したが、おかげで、両手でタイプを打てるようになった。

分析化学の先生は怖い先生として超有名だ。1週間に1度の講義で、ドイツ語の教科書が30ページも進む。順番に当てられるが、きちんと読んだり、翻訳できないと、その場で「君は落第だ」と宣言される。嘘だと思っていたが、本当に落第になった友人がいたのに驚く。また、下駄を履いて登校していた友人は、校内で運悪くこの先生と出会い、その場で「君は落第だ」が宣言された。驚くべきことに、これも事実だ。

朝はパンとバター、昼は蕎麦やラーメンで終わる。そして、50円から60円くらいで近くの定食屋さんの晩御飯である。いくつかの皿が並んでいて、そこから好きな品をとる。どれも適当に不味かったが、特に文句は感じなかった。大学街であるからか、喫茶店で勉強する人も多く、コーヒーだけで何時間も勉強している。残念なことには女性の香りが全くしない生活が続いた。

そしてようやく大学4年生になる。講座配属の時である。

私は誰がどう言おうと野崎研究室にゆくと決めていた。いろいろとあったが、結局は私の思い通りになる。一つは野崎研究室が学生にとって時間的に余裕がなく、とても忙しい講座として知れ渡っていたことも影響して、志願者が少なかった。

新しい講座参加者の最初の会合に行った。新進の野依良治先生が実験着を着て私たちのそばを歩いて行かれ、「ようこそ」と言われたのが印象的だ。そして、野崎一先生の簡単な挨拶である。ここで実験を始めるのかと考えると感無量となる。３年以上の長い時間が終わった。

私の研究室は野依先生の部屋である。博士課程の学生の下で働くことになる。机はその学生の使っているものを使わせていただく。実験台は少し狭い。

プロジェクトは12員環の化学である。12員環とは炭素が12個つながって輪になった分子である。あとは、実験をして結果を出すだけだ。

「君にはまだ机はいらない」と、座ることが許されない立ったままの実験生活で、１週間もすると足腰が悲鳴を上げていたが、恐ろしいもので、数カ月ですっかり慣れてしまった。

実験室にはベッドも装備されている。夜遅くなった人が泊まれるように工夫されている。24時間実験に没頭するようにと言われている環境である。

実験には危険がいつもある。学生たちの実験机の上の天井は黒くなったり、赤くなったりしていることが多い。急に反応が進んで制御できなくなり、天井まで噴いてしまった名残である。反応性の高いものでは、当たり前だ。小さな爆発も珍しくない。昔のことでそんな事故は日常茶飯事で、誰も気にしなかった。

問題はそういった予期できない状況になったときに、冷静に対処できるかが問われるということだ。実験を始める最初にこのことを教えていただいた。もっとも私は子供時代から、もっと危険なあそびにも慣れていたので、自分はそんな心配はしなくていいと密かに思っていた。

野依先生も大きな事故を起こされ、先生の首の傷はそのおりの記念と聞いた。

当時、野依先生は少し時間があるとペン習字を練習されていたのを覚えている。先生ほど有名になっても、ペン習字をされるというその心意気に感動した。必ず世界を動かすと、そのときから心を決めておられたからだろう。今も先生からお手紙をいただくと、素晴らしい筆跡にその頃を思い出す。

「狂気と正気の間の細い山道を歩く」

野崎一先生はとても面白い先生だ。隣の講座との共同の研究紹介の日であるが、前列に座っておられた先生が突然スリッパを演者にむかって放り投げた。どうやら内容と、説明の仕方が不味かったらしい。発表者は真っ青になって、しどろもどろである。私は本当に面白い化学にしか反応しない先生が大好きになる。

先生はときどき気に入った言葉を新聞や本から見つけて、扉に貼り付けられる。たとえば、「研究者とは狂気と正気の間の細い山道を歩くようだ」という言葉である。正気のほうに倒れても、狂気の方に倒れてもいけない。これが研究者の選ぶべき細い道だと言われる。私は少し狂気の方に偏っていると自分では思っていた。

先生の講義も素晴らしい。有機化学が本当にお好きだということが、すぐにビンビンと伝わってくる。話し始められると、自分で夢中になっておられるのが可笑しかった。

野崎先生の隣の講座の先生は宍戸圭一（ししどけいいち）先生（故人）であり、この先生にも過分に可愛がっていただいた。この先生は左京区の鴨川沿いにある数万坪の大きな家に住んでおられたが、模型電車が大好きで、ご自宅の広い庭に人間が乗れる小さな電車の線路をひき、庭中を電車に乗って走れるようにされておられる。電車を走らせるためには２００ボルトの電気が必要で、配電会社に交渉して自宅に引かれていた。先生は鉄道友の会の支部長をされ、特に京都の市電の記念保全に一生懸命で、うまく行くと成功談を話していただいた。

模型電車にはとても気を入れておられたが、講座の学生からは論文を出すと言って原稿を提出しても、読んでもらえるのは半年かかると文句を言うのを聞いた。

宍戸先生からお聞きしたお話で印象に残るのは、あるとき、「教授というのは馬丁（馬の世話や口取りをする人）がいてこそ教授だ」と言われたことだ。最初に聞いたときにはよくわからなかったが、先生の先代が教授になられた頃には専用の馬車と馬丁が付いていたということらしい。その頃の教授の数は現在と比べると１０００分の１くらいなので、当時は少なかった教授を国も大切にしたのだろう。しかも、当時は教授になると、給料とほぼ同じ金額の「報告する必要のない機密費」を頂いていたそうだ。有名な芝居の「婦系図」（原作は泉鏡花の同名小説）のように女性を囲うことなど何の問題もなかったのだろうか。

宍戸先生の専門は天然物の研究である。ある年のこと、「今年は金木犀がちっとも咲かないね」と皆が言っていたことがあったが、先生の講座で大学中の金木犀の花を全て採集し、香りの構造を決めておられていたらしい（「構造を決める」とは、物質などの化学構造を決定し化学式として表すこと）。

また、講義の際に先生が突然「お金というものは風と同じだ」と言われ、何のことかわからなかった。どうやら、部屋の窓から風が入るのは、風が出る窓があってこそ気持ちが良いのだということらしく、お金は入って出て行くからいいのであって、入るだけや出るだけでは面白くないと言われたらしい。なるほどと思った。しかしこんな浮世離れした大学教授はもういない。

京大は世界一ではなかった

当時、野依先生の指導で、学生が不斉合成の先駆けとなる仕事をしていた。

それまで不斉合成は、課題として存在していても誰ひとりそれに挑戦する人はいなかった。対称的な構造を持つ化合物の一方を化学的に合成する不斉合成は、最難関の課題と思われていたのである。簡単に言えば、不斉合成とは右手と左手を作りわけることである。それまでの合成ではそれがほとんど無理だった。たとえば目の見えない人が手を作ったとき右手と左手を作りわけることは非常にむつかしい。自分の眼で区別するから作りわけられる。手探りでは作りわけはできないのだ。

野依先生のプロジェクトで働いていた友人の彼はその挑戦プロジェクトの結果を本当に楽しんで話していた。野依先生はその後、この研究をぐんぐん発展させて、ノーベル賞にまで至った。現場にいて、その学生がとても羨ましかったのを覚えている。友人はその後、化学会社に行って、そこでこの研究を発展させ、工業化に結びつけた。

この学生は浪人した私より一年上であったが、彼も浮世離れしている。阪神間の超有名な酒蔵の息子である。会社に就職しても、普通の人ではないと研究所で有名であった。様々な素晴らしい仕事をしたが、晩年、その研究所が移転になった。その際、彼は大きなパーティーを開いた。「水子供養のパーティー」だという。研究したけれど、世に出なかった彼の以前の仕事の供養だそうだ。その後、企業を引退して、自転車で世界一周をしていた。変わった人種だが、にくめない人だった。

ある朝のことである。実験室に行ってみると、いつもと雰囲気が違う。先輩たちが集まって議論している。注目すべき論文が出て、その内容に関する議論だそうだ。

その後、それはハーバード大学のウッドワード先生（ロバート・バーンズ・ウッドワード。１９６５年ノーベル化学賞受賞。故人）による軌道対称性の有名な論文とわかった。論文はアメリカ化学会誌（ＪＡＣＳ、Journal of the American Chemical Society）に連続して掲載された。実に圧倒的で素晴らしい論文だった。野依良治先生も興奮気味であった。その論文は当時の有機化学のレベルを飛び越えた内容で、ただただ感服するほかない。

しかし、私はどこかおかしいと思った。論文がハーバード大学からの論文であること、今後の化学の研究動向も左右する論文であること、また、アメリカ化学会の雑誌であること、その雑誌には日本人は当時ほとんど掲載されないことなど、私にはとても悲しい情報になった。こんなことなら、京都大学などへ入らない方がよかったと本気で思った。

京大は世界一ではなかった。こんなはずではなかったと臍（ほぞ）を噬（か）むがもう手遅れだ。私はこの瞬間ハーバード大学にゆかねばと決心した。世界一の場所で勉強しなければ、決して世界一にはなれないと思ったのだ。

勉強すればするほど、京大とハーバードの格差は大きいことがわかる。ほとんど、大人と子供のような感じだ。日本はまだまだ、世界から見ると遅れていると思った。

当時、時代を作る化学のトピックスの原本はほとんどが丸善で手に入った。ある有名な先生は、面白い分野の本が出ると、丸善が輸入した本を全部自分で買い占めて、彼しか日本にはそのトピックスを知っている人はいない状況にしてから、その分野を日本で広げていったと聞いた。なんとも悲しい話だが、そういう時代である。

その後、京大の大学院には行かないことを宣言した。しかし学部の最後の日まで実験は続け、卒業式の日にも式には行かずに実験に没頭していた。その頃の記念写真を見ると、友達は皆正装しているのに、私一人が真っ黒に汚れた実験着で写っている。

そうして3月31日まで実験に明け暮れる日々が続いた。

なんとか論文に出していただけるまで、仕事がまとまった。投稿先はカナダの雑誌であった。私が京大で研究していた存在証明書のようなものである。その後、ハーバード大学で出したアメリカ化学会誌の論文とは格が違うが、それでも私にとって大切な最初の論文である。

反対の嵐

ちょうどその頃、京大の附属病院に入院していた父親に「ハーバードにゆきたいから遺産相続の前渡しが欲しい」といった。「100万円（当時のレートで2700ドルくらい）ください」といった。幼いもので、それだけあればなんとかなると思っていた。母親から、場所を弁（わきま）えないと呆れられた。でも、父親は結構嬉しかったようだ。

次にハーバード大学に手紙を出して、自分が大学院を受験したいこと、どうすればいいかを教えてほしいとお願いした。すぐに返事が来て、申請書と推薦書を送れという。3人の先生の推薦書が必要で、そのときの研究室の先生である野崎一先生にお願いした。それ以外の2人は教養部の先生にお願いした。

野崎先生にはご自分で書いていただいたが、後の2人の先生は私に自分で書けという。苦心して2通を作り上げたが、拙（つたな）い英語は問題だ。そこで、自宅の隣に住んでいた久留（くる）勝（まさる）先生（故人）の娘さんに添削をお願いした。彼女は当時、大阪大学の英文科の才女であった。そして苦心して作り上げた書類をハーバードに送った。

ひと月も経ってから返事が来た。震える手で開封。いつまでも、その手紙を見つめていた。受かったのだ。しかも２０００ドル（当時のお金で70万円くらい）ほどの奨学金付きだ。万歳！

次は旅費である。フルブライト奨学金を申請した。しばらくして行われた筆記テストはそれほど難しくなかったが、面接が問題だ。しかし、面白いことにハーバードというだけで通ってしまった。やはり、ナンバーワンは強い。

それからは戦いだった。ハーバードに行きたいといった途端に京大の全員から反対にあった。「大学院2年（修士課程）か、５年（博士課程）を終わってからでも遅くない。そんな危ない橋を渡るより京大の大学院で十分ではないか」等々、とにかく反対の嵐だ。それにも耐え、なんとか説得できた（あるいは諦めていただいた）。その後も、異例のことをしようとするといつもこの嵐が吹き荒れる。

京大の方は新学期が始まっていた。大学院には入学せず、また、奨学金の審査にも通っていたがそれも断り、ハーバードにゆくまでの数カ月は神戸のＹＭＣＡ外国語学校（現・神戸ＹＭＣＡ学院専門学校）に通った。私は英会話はあまり得意でなかった。英語教材のリンガフォンのレコードで勉強していたが、やはり生きた英語を身につけたかった。幸いＹＭＣＡではアメリカ人と日本人を両親にもつ女性の先生に気に入ってもらって色々と教えてもらった。

親が羽田まで見送りに来てくれた。少し涙が滲む。飛行機内では５人がけの席の真ん中で狭い。ロサンゼルス（米国カリフォルニア州）まで10時間以上じっと座っているのは苦痛だった。隣のおばさんが１００キロははるかに超える人で私の席に彼女の肉がはみ出ている。ようやくロスに到着して、ボストン行きに乗り替えたが、ほとんど乗り換え時間がなく、20キロの荷物を抱えて20分ほど走ってやっと間に合った。ボストンに近づき、飛行機の窓から見る街は美しかった。ここで数年は生活することになる。

憧れのヤードへ

１９６７（昭和42）年、ボストン（米国マサチューセッツ州）に到着した。タクシーに乗ってボストンの隣町のケンブリッジへ。20分くらいで到着。予約しておいたユース・ホステルである。数日間の宿泊である。小さな部屋だが、これで十分。私の大学院生活の始まりである。

15分ほど歩いてケンブリッジのコモン（かつて放牧に使われた共有地）に行った。美しい小さな公園で、昔のコモンの名残が香る。そこから、ハーバードヤードまで5分くらい。憧れていたヤードである。入口は厳しい鉄の扉。中に入っていいかどうかわからず、そこでブラブラしていた学生らしい人に勇気を出して「中に入っていいか」と尋ねる。びっくりした顔で「もちろん」という返事。塀の中は素晴らしいグリーン一色であった。図書館とチャペルの間にはいくつもの道が交差しており、若者たちが我がもの顔で歩いている。建物の美しさに見惚れている。ヤードの中を歩いてもいくつもの煉瓦（れんが）の建物が際限なく続く。

化学教室は一度ヤードの外に出なければならない。オックスフォードストリートの12番地が住所だ。大きな建物が待っていた。その中に入るのには勇気がいったが、思い切って重い扉を開ける。教授たちのネームプレートが出迎えてくれた。やっと学生向けの掲示板を見つけ、新入生のためのパーティが明後日開かれることがわかった。

新入生は来るようにというお知らせも発見。その部屋に向かった。ノックをすると、品のいい年配の婦人が出迎えてくれた。彼女が新入生のための全ての事務をしている人らしい。とても歓迎してくれて、少し安心した。そこで寄宿舎の部屋割りなど、色々と書類を整え、今後の住まいがチャイルド・ホール（学生寮）であることがわかった。その日の冒険はこれで終わり、あとはホステルに戻って一息ついた。

夕食はホステルの隣のドラッグストアで簡単に済ます。タバコやその他の喫緊に要するものも購入。これで餓死(がし)はしなくて済む。ホステルのベッドで、ようやく眠ることができた。飛行機の中ではほとんど眠れなかった分、爆睡した。

翌日にもう一度、化学教室にゆく。図書館に入るための鍵の受け取りなど、いろいろと雑用が多い。図書館は素晴らしく整備されているが、とてもクラシックで美しい建物だ。何人もの学者がここで勉強したのである。自分もその一人であると思うと、感無量になる。

さらに、入学者がどの程度の学習レベルかを決めるためのテストが数日後にある。有機化学、無機化学、分析化学、物理化学で４科目だという。これがその後、大変な事態を引き起こすことなど、当時の私は夢にも思わなかった。

「いつ日本に帰るのか」

新入生のためのパーティーは印象に残るイベントになった。部屋に集まったのは30人足らずの少人数。化学専攻の大学院生にしては、拍子の抜ける少ない数だ。京大の数百人とは大きな違いである。しかし、一人ひとりに期待することが大きいことを思って、身の引き締まる気持ちになった。同級生は一人ひとりがとても賢そうなのも印象に残った。そのうちの一人はのちにノーベル賞を受賞している。

パーティーが終わってしばらくして寄宿舎に移動。小さい部屋であるが、こざっぱりした部屋。ここから戦いが始まると覚悟した。

寄宿舎は風呂ではなく、シャワーがあるだけ。しかも遮蔽板がなく10人ほどが一度に使える仕組みだ。仕組みはいいけれど、完全な裸でのシャワーは慣れるまで少し時間がかかった。

そしてすぐにテストである。4科目だが、私には難しかった。私も京大では50人のうちのトップだったが、米国のレベルはとても高い。情けなく思ったがこれから出発とも、覚悟した。

そしてテストの結果を聞く時間を教えられた。ウッドワード教授の部屋である。重い木の扉にウッドワードと金色の文字が光る。部屋に入ると化学教室の教官がずらりと並んでいる。私の後ろには、ウッドワード先生の美人の女性秘書が私の話を速記している。全員と握手して、ウッドワード先生から結果である。

４科目ともに最低の成績だった。日本の教育は米国とは比べ物にならなかった。ウッドワード先生は私に「いつ日本に帰るのか」と聞かれ、心が凍る思いだった。必死になって「頑張るので、もう一度チャンスをください」と訴える。しばらく話したところ、試験の４科目に関して上級講義を受け、今学期、４科目ともＢプラス以上の評価になったら、落第はないということになったらしい。悄然（しょうぜん）として部屋を離れた。Ｂプラスはトップ20％くらいらしい。前途多難だ。

しかし戦うしかない。すぐにはじまった４科目の講義を必死で受ける。全ての講義が宿題付きであり、小テストが毎週のように頻繁（ひんぱん）にある。京大での期末テストだけののんびりした講義とは比べ物にならない。しかも、困ったことにこれだけ英語を勉強してきたのに、講義が聞き取れない。黒板に書かれた字で講義内容を推察し、図書館で参考書を確認して なんとか講義について行った。こんなに必死になって勉強したのは生まれて初めてである。1日3時間から4時間しか眠ることができない。一切の雑念を振り払って、勉強一途の数カ月を過ごす。

結果が出た。幸いなことに2科目はBプラス、後の2科目はA。勝った〜。すぐに例の婦人のオフィスに行って、もう研究を始めていいかを尋ねた。彼女はにっこり笑って、「おめでとう」の言葉。研究を始めることができるのだ。

すぐにコーリー先生（イライアス・ジェイムズ・コーリー。1990年ノーベル化学賞受賞）の部屋へ直行した。コーリー先生は当時ウッドワード先生と並んで、ハーバード大学の新進気鋭の学者。コーリー先生も私の成績はご存じで、「すぐに実験を始めたらいい」とのことだった。

第3章　ナンバーワンの感覚　ハーバード大学

問題をとことん考える

私はコーリー先生の部屋の隣の実験室と決まった。そこにはすでに博士課程の修了が近い学生（ポール［Paul R. Ortiz de Montellano］。後のカリフォルニア大学教授）がいた。「彼に実験を教えてもらいなさい」と言われる。研究テーマは「スクアレンからステロイドの生合成のメカニズム解明」で、ステロイドの生合成の鍵化合物をさがす研究である。面白そうなテーマだ。教えてもらった通りに10分後には実験を始める。

当時、コーリー研究室には日本人の博士研究員の人が多くおられた。そのため、私はそうした人から、コーリー研での生活の方法を詳しく教えてもらった。毎日夜遅くまで実験、実験に明け暮れる。そして、幸せな日々が続いた。

大学院の学生の寄宿舎はなかなか住み心地は良かった。それなりの広さはあるものの、ベッドと椅子、テーブルだけの部屋だが、静かに物を考えることはできる。また、歩いて5分のところに食事ができる場所があり、結構美味しい朝夕の食事が楽しめた。

私の隣の部屋の住人はハーバード大のロー・スクールの学生である。人がいないのかと思うほど、静かに勉強している。ある夜、遅く目が覚めてトイレに行ったが、彼はまだ勉強している。だんだんとわかったのは彼が日に3時間程しか寝ないことだった。麻雀に打ち込んでいた京大時代の文系の友達とは180度違う生活だと感じた。聞くとロー・スクールの学生は皆似たようなものだそうだ。これでは日本は負けると思った。

研究を始めると、ひと月に一度のキュムラティブ（Cumulative）・テストを受けなければならない。これは最近の雑誌に掲載された論文から問題が出される。まさに最前線の研究からの問題である。しかし最近の雑誌と言っても、主なものでも10誌以上はあるし、それぞれのページ数は非常に多い。時代の流れを理解しているかどうかのテストと言えそうだ。これを年に12回のテストで初年度は最低2回はBプラス以上、2年度までに5回、3年度までに8回のテストに合格しないといけない。ゴールの8回は結構大変だが、その頃には4科目の猛勉強のおかげで結構実力もついてきたのか、割に早くこの関門をクリアできた。また、ウッドワード先生のセミナーには必ず出席したせいかもしれない。

月に一度のウッドワード先生のセミナーは夜7時頃始まる。当時の大学院生や博士研究員のほとんどが出席していた。ウッドワード先生が問題を黒板に書き、その反応のメカニズムを考えるのだ。夜7時に始まるこのセミナーは、終わるのが翌日の1時頃になる。6時間くらいは皆問題を考えるのである。誰一人話さない、しんとした会場はまるで座禅堂のようだ。しかし「問題をとことん考える」ことがこのときわかった気がした。

先生の手紙に親が涙

研究では豚の肝臓を用いていた。コーリー先生は「死んでしばらく経った肝臓では、生きているときの状況がわからない」と言われ、私に「ラットの新鮮な肝臓を使うよう」に言われた。しばらくして、びっくりするくらい大きなラットが檻に入れられ届いた。

さて、これを処置しなければならない。新鮮な肝臓を使うということは、死んで数分のラットから肝臓を取り出し、酵素を抽出する必要がある。生化学の先生に方法を教わるが、どうやら大きな裁ち鋏で首を一気に切らないといけないらしい。私はこういうことが大の苦手である。震える手でラットを支えて、首を切ろうとしたが、やはり手が震え、しっかりとは首を落とせなかった。ラットは暴れ回り、私の手から離れ、実験室中をかけまわり、部屋中を血だらけにした。先生に「私では無理です」とお願いした。

一年が矢のようにすぎた。そして研究の成果がまとまり、アメリカ化学会誌に論文を発表できた。当時、日本ではアメリカ化学会誌に発表することは稀であった。

コーリー先生は野崎先生と私の両親に私が頑張っていると2通の手紙を書いてくれた。親は涙を流したと聞いた。

次々とプロジェクトが成功した。全く新しい反応の開発にも成功した。論文も数報になった。この頃はコーリー先生は私のことをずいぶん買ってくれていた。彼が招待講演でヨーロッパに行った折には私に土産のブランデーなどをくださったりした。30名は所属していたグループメンバーで私だけに、である。そうなると、メンバーは私のことを「ブルー・アイ」と呼び始めた。これは「ティーチャーズ・ペット（先生のお気に入り）」という意味である。

先生は私に任すと論文が出るのが気に入っておられて、「別のテーマを同時にやっては」と提案された。なんと、大嫌いなゴキブリの「性ホルモンの構造決定」である。

ラット事件以来、「生き物は嫌です」と言っていたのに、小さな昆虫なら大丈夫と思われたようだ。共同研究先の生化学の研究室を訪問して、よく聞いてくるようにとのことだ。

共同研究先の研究室を訪ねるととても大きな標本部屋で、部屋に入った途端に独特の異臭である。壁一面にぎっしりの箱が並んでおり、その中にゴキブリが数百匹動いている。共同研究先の先生は特に大自慢のアフリカンコックローチを見せてくれた。10センチ以上の巨大サイズで、歩くたびに音がする。コーリー先生には申し訳ないが「私にはとても無理です」と、このテーマは断った。

先手を打つための予測

コーリー先生は一日に何度も研究室を回られる。そして「研究はどうなったか」と聞くのだ。場合によっては2、3時間前に先生が提案したことの結果を聞かれることもある。そうなると、先生が何を考えているかを予め考え、先手を打つしかない。私はこの方法に頼ったが、お陰でコーリー先生の思考経路をいつの間にか自分のものにしたと思っている。先生はいつも状況を見て、それに最適の答えを得るための実験を考えておられる。先生の考えを予測するのは並大抵ではないが、不可能ではない。

ハーバード大学の日本人の先生にはとてもお世話になった。かわいそうな貧乏な学生への応援の気持ちだろう。

特に数学の廣中平祐（ひろなかへいすけ）先生（日本人で二人目のフィールズ賞受賞者、ハーバード大学名誉教授）は、何度も実験室まで来られて昼食に誘ってくださった。すぐ近くの素晴らしいファカルティ・クラブ（レストラン）である。馬肉のステーキが有名であるが、そこで食事をして、いろいろとお話をお聞きするのが楽しみだった。後に、野依先生もこの食事会に加わられた。

廣中先生のご自宅は郊外の森の中で、本当に素晴らしいお家である。その森の中で「自分はハンモックに揺られながら、数学を考えるのが大好きだ。その間にさまざまな研究が展開したのだ」と言われる。私たちのような、実験ばかりの人間が珍しかったようだ。先生は私に「そんなにあくせくしないで、ぼんやりとものを考えることの方が大事だ」と言われた。仕事のコツを教えていただいた気がした。

その間に父親が亡くなったと知らせが届いた。日本に急に帰ることはできない。高台にゆき、西の方を向いて泣きながらいつまでも手を合わせた。いつも応援してくれた父であった。また、一人になった母のことも気がかりであるが、私のハーバードはまだ終わっていない。

野依先生の独立心

野依先生がコーリー研究室に博士研究員として来られたのもその頃である。30歳前に名古屋大学に抜擢された気鋭の独立助教授。先生は、とても独立心が強く、コーリー先生にも単なる博士研究員としてではなく、それなりの配慮を期待しておられたようだ。

「コーリー先生と話すときは、必ず左足を一歩後ろに置いて、体を斜めにして話す。そうでないと、突かれたら後ろに倒れる」と言われていた。負けておられない先生が誇らしかった。私にとっては野依先生から学ぶことも多く、先生の来米はとても勉強になった。

野依先生とは昼食や夕食をご一緒させていただいた。その行き帰りにも、さまざまな化学の問題に関して、先生のお考えを話していただき、その後の私にとって、掛け替えのない力をいただいた。

ある日、先生は歩みを止めて、土をひと塊握って「自分はこの土を食べても、素晴らしい研究を完成させるのだ」と言われた。先生の凄さを良く理解できたひとときであった。

ウッドワード先生は天才だった。そして、ハーバードが世界を席巻することを当然と受け止め、その上でさまざまな施策を展開しておられた。何よりも美しさを大切と考え、美しくないものには極端に冷淡である。そして、「化学は美しくないといけない」という持論を常に前面に押し出された。

それに対して、コーリー先生は有機化学の最前線の先の先をとることに苦心しておられた。この二人はあまり仲は良くなかったが、それでも二人でハーバードの矜持を保つことには成功されていた。

私の研究分野ではコーリー先生はスタンフォード大学のファン・タメレン教授（故人、生物有機化学という分野の創始者）と競争されていた。毎回のようにアメリカ化学会誌が競争の場である。タメレン先生のところの卒業生のシャープレス（バリー・シャープレス。後に２００1年、２０２2年とノーベル賞を2度受賞）がハーバード大の生化学の教授のところに博士研究員として来られたときもコーリー先生は大変に神経質になられ、「彼とは決して話をしないように」と私に言われたが、その前に私たちはすでに話をし、お互いに気に入り、その後、生涯の友人となった。

3年を少しすぎた頃には私のＪＡＣＳ論文は13報になり、これまでのコーリー研究室ではぶっちぎりトップの論文数になっていた。先生にもう博士論文を書いていいのかと、お聞きしたのもこの頃である。先生は「反対する理由は見つからない」と、いつもの論理的な答えである。

早速執筆に取り掛かる。幸い論文数が多かったので、「良いとこ採り」をすることで比較的簡単に博士論文を書き上げ、先生にお見せした。次の段階は面接である。数人の教授にさまざまなことを聞かれたが、無難に答えてこれも終わり、ようやく念願の博士号をいただくことになった。気がつくと3年半、これはコーリー研では異例の速さだそうだ。私にとってはとても感慨が深い瞬間だった。

ハーバードの気概と矜持

コーリー先生に呼ばれ、この後のことを聞かれた。先生は私にコーリー研の博士研究員を束ねる役をしてほしいと言われ、破格の給料を提案された。しかし、私は、帰国して鎌倉にできていた東レの基礎研究所（現・医薬研究所）にゆきたかった。先生には渋々納得いただき、推薦状を書いていただいた。これで、私のハーバードでの波瀾万丈の４年足らずが終わった。

それまで一度も帰国していなかったが、４年ぶりに日本に向かう飛行機に乗って日本の上空で東北地方の一面の緑の景色を見ると、これまでの様々な思いが募ってか涙が止まらなかった。

考えてみると、ハーバード時代は今の私の根幹を作ってくれたようだ。ハーバードの先生のいつもトップでないと納得しないスタンスは、その後の私を終始支えてくれた。いつも世界一で、世界で一番先を走っているという感覚を日本で感じるのは難しい。しかし、この感覚がなければ、決してトップを走ることはできない。一種の矜持であり、プライドだろう。世界の化学の今後の大まかな構造はハーバードで考え、ハーバードから発出するのだと教授たちは本気で考えていた。

残念ながら、現在ではハーバードは必ずしも世界の化学でトップとは言えなくなった。長期にわたってトップを走り続けるのは至難の業であるが、それでも一度トップになると、その後もトップとしての気概と矜持は続く。この気概が失われると、あとは地獄になるのである。現在、ハーバードが2位、3位の位置を守ることができるのはこの気概だけであると、私は考えている。

手間暇かけた米国の教育

我が国の大学では講義の科目数が異常に多い。たくさんの教授を抱えて、それぞれの教授の専門分野を大学生に伝授してほしいという気持ちだろうが、学生側から見ると一生使わない学問を勉強させられるのは迷惑だと感じるはずだ。

さらには文部科学省（文科省）の官僚が、教えなければならない科目とそうではない科目の見分けがついていないことも原因だろう。私の京大での成績表の科目数が100を超えるのを見て、ハーバード大の先生は「こんなに学べるはずがない」と腹を抱えて笑っていた。

その後、米国の大学の教育科目を見ると、どの大学でも非常に少ない。たとえば私の専門の化学では、有機化学、無機化学、物理化学、分析化学と主要な科目は4科目に絞られる。逆に先生方はこの4科目のどれかの範疇に入っている。そして、この重要科目を徹底して教えている。

たとえば有機化学だと科目は一つだが、十分に習熟したい学生と、その概要がわかればいい学生を分けて、二つの講義が並行して開かれる。週に2回か3回の講義である。

さらにそれぞれの教授による講義の後、それを補習するため、ＴＡ（教育担当の大学院生）が同じ回数の詳細で、問題を解かせる講義を行う。また、数週間に1度は必ず1時間のテストを行い、ＴＡが採点する。最終の試験も合わせて、結構、手間暇かけて教育を行っている。日本のように、重要科目でも週に1回の講義で済ませるのとはかなり異なっている。

米国では重要科目以外は学生の自主的な判断で自由に科目を選ぶことができる。人気のない科目は2年に1回の開講となる場合もある。こうして4科目に集中的に時間をかけている。教授は基本的にはその4科目プラス数科目の重要科目を手分けして教えなければならないが、そうすることで、不必要な講義を減らすことができ、結果としては教授の教育義務は日本に比べて圧倒的に低くなる。

こうして限られた科目の勉強に集中することで、その科目の理解は深まり、たとえば企業に就職しても、その習熟した勉強の結果を生かすことはそれほど難しくないだろう。一方、我が国の現行のような多くの科目では、それぞれの科目の簡単なレジメは分かっていても、必要に応じて勉強し直すことはかなり難しい。つまり必要な重要科目がしっかりと身についていれば、あとは応用問題として、比較的楽に新分野へ展開することが可能だ。現在のように新しい学問分野が、毎日のように生まれる現状にはアメリカ方式の教育手法の方が遥かに優れている。

さらに大学院の教育の場合、筆記試験でなく口頭での面接テストが一般的である。こうした発表方法は我が国では圧倒的に遅れており、そのため、学生の口頭での発表能力は米国に比べて十分ではない。

米国のプレゼンテーション教育

米国でのプレゼンテーション教育は幼稚園から始まり、小学校、中・高等学校、大学と切れ目なく続く。こうして社会人となった折にはプレゼンテーションができるのは当たり前になる。大学でも企業でも現代社会ではプレゼンテーションは個人が身につけるべき能力と言われているが、その教育は我が国は欧米に比べ遥かに遅れているのが現状だ。

ハーバードで勉強していた頃、ある主題への小論文を書くことが課された。早速、図書館に行って書き始めると、友人が横に来て「すぐに書き始めるなんて、お前は馬鹿か」という。「どこがいけないのか」と聞くと、「論文というものは書く前に全体の構想を頭の中で練り上げ、完全に練り上げて初めて鉛筆を持つものだ」と教えてくれた。こんな初歩的なミスを指摘されたのだが、日本でプレゼンテーションの仕方を教えてもらわなかった自分にはとても新鮮だった。

研究者同士の交流も欧米に比べて我が国は十分とは言えない。

たとえば、米国ではゴードン会議（Gordon Research Conference）は大変有名である。このゴードン会議のテーマは科学技術のほとんどの分野に広がっており、それぞれ100名程度の若手研究者や大学院学生の参加者を全世界から集めて、ニューハンプシャーやロードアイランドなどで1週間のカンファレンスを開く。

カンファレンスでは、その分野の著名な先生を招待し、朝と夜に講演会を開く。昼はスポーツや山登りなど自然を楽しむ時間である。講演では未発表の結果を話すので、写真などを撮るのはご法度だ。参加者は数名ずつに分かれ、同じ部屋に寝泊まりする。その間にさまざまな人との交流が可能だ。ここで知り合った交流が後の共同研究に発展することも多いと聞く。こうした人間関係の構築が米国はとても得意だと感じる。

日米での研究のあり方で最も違っているのは、米国では研究代表者はグループでただ一人という大原則である。当たり前だと思うかもしれないが、日本は講座制度をいまだに温存している大学もあり、教授、准教授、講師、助教がその組織に入っている。そうなると本当の研究代表者は必ずしも明確ではない場合が多い。そのため、責任の所在が明確ではない。また、研究成果の受け止めも曖昧になる。

アメリカではそこがはっきりとしており、研究代表者が研究を進めたければ、大学院学生の他に、博士研究員等を雇わなければならない。つまり、研究代表者は一人と決まっているのだ。

第4章

教科書には書いていないこと

京都大学

東レで雑草を抜く？

1971（昭和46）年、私は憧れだった東レの基礎研究所へ赴任した。

東レは鎌倉の3万坪を超える広い敷地に、素晴らしいモダンな研究所を作っていた。我が国で初めて、デュポン・エクスペリメンタル・ステーションをモデルに作った研究所で、従来の工業化に直結するような直近の研究をするのでなく、10年後、20年後のその企業の新しい分野を開拓するために作られている。

鎌倉ではすでに日本では有名になっておられた故・辻次郎（つじじろう）先生（その後、ノーベル賞候補者、東京工業大学栄誉教授）や大野雅二先生（東京大学名誉教授）が活躍されていた。

初めての就職で、勇躍、この研究所を訪問。辻先生や大野先生の歓迎に感激した。私は辻先生のグループに入った。

辻先生は米国コロンビア大学で博士号を取得し、帰国して東レに入社され、すでにパラジウムを用いるブタジエンの2量化に世界で初めて成功され、世界的にも有名であった。

大野先生は穏やかなお人柄で、その後、東大薬学部の教授になられた。全合成で様々な成果を報告されている。碁が趣味で、先生は私に「人生の岐路では碁盤の目のように全ての要素を取り入れて、今後どうなるかを予測して計算しなければならない」と言われていたが、私とは全く違う人生観に驚いた。

辻先生はとても気の置けない人柄でメンバーからも信頼されていた。全てにわたって積極的であり、大野先生と真逆で、考えるより、まず行動することを大切にする人だった。

私はすぐに12員環（12の炭素で輪を作った化合物）から15員環への変換反応を開発した。15員環にすると麝香（じゃこう）の香りがする。

しかし、私は米国からの帰国前にプロスタグランジン（prostaglandin, PG）の合成にも関わっており、東レはこのプロジェクトに大変に興味を持たれていた。

プロスタグランジンは、20世紀になって発見された生理活性物質である。脂肪酸から生合成され、血管の拡張など様々な強い生理活性を持つ。場合によってはマイクログラムでも生理活性を持つといわれ、プロスタグランジンはコーリー先生が世界に先駆けて合成を始められた。日本ではコーリー先生のコンサルテーションを受けていた小野薬品が先陣を切った。

コーリー先生はノーベル賞受賞の一つの理由となったこの合成に、誰でも使えるように様々な工夫を凝らしておられた。私はこの工夫にも関わっていたので全ての資料を持っている。そこで東レでもこの分野に進出できるかの検討を始めていた。

しかし、ある日突然、ニクソンショック（ドルショック）、その後のオイルショックの先駆けが始まった。日本全体が大打撃を受けたが、東レもその一つであった。基本的には実験はやめるよう言われ、また時間があれば基礎研究所の広大な芝生の雑草を抜くようにと言われた。廊下の電灯は消され、研究所は死んだようになった。

この状況では私の研究者としての将来は暗いと思い、思い切って京大の学部時代にお世話になった野崎一先生に電話をして窮状（きゅうじょう）を説明したところ、先生は「君からの電話を待っていた！　すぐに京大に来なさい」とのご返事！　その足で東レの人事課を訪ね、辞職をお願いした。

これまで私はこうした人生の分かれ目でしっかり考えることはしなかった。まさに瞬間で決めてしまう。もちろん、東レのみなさんは大反対で、辻先生や大野先生からも説得のお話が続いた。しかし、辞職問題は順当に話が進み、東レはわずか半年で離職となった。

私の東レでの最初の研究は先述のように麝香香料の合成（ブタジエン3量体を用いた）で

ある。それに成功し、特許を取った。一方、東レは私の遺したプロスタグランジンの合成の膨大な資料が役立ったのか、ドルショックとそれに続いたオイルショックが終わるとすぐにこの研究を始めて、東レ独特の分子設計創薬ドルナー（血管を広げ血流をよくする薬）を完成させた。それはその後20年以上にわたり、毎年のように数十から数百億円の利益で東レを財政的に支えた。私の小さな置き土産だったと思っている。

「5年経ったらクビにしてください」

京大では野崎先生が歓迎してくださった。私のために助手の籍を一つ作ってくださっていた。過分のお話である。しかし、私はできるだけ若くして独立した研究を始めたいと思っていたので、「5年経ったらクビにしてください」とお願いした。先生は驚かれたようだったがその契約にサインはしていただいた。

私には助手は5年で十分だった。

私は７人の学生がいる部屋を任されたが、その頃は研究室の財政が逼迫（ひっぱく）しており、使える研究費は学生一人当たり、ひと月1000円以内にして欲しいとのことだった。それまで研究費のことなど考えたことがなかったが、いくらなんでもこれでは研究できないと思った。なんとかしなければ、と焦るばかりだった。

拾う神だろうか、しばらくして小野薬品から電話をいただいた。「一度お会いしたいので予定を教えて欲しい」とのことだ。約束の日には少し年配の方が来られ、食事に誘われた。「京大和（きょうやまと）」というお店で、京都では有数の料亭らしい。仕事で料亭にお誘いいただくのは私には初めての経験だ。

小野薬品のお話はコンサルティングに関する話であった。「定期的に研究所をお訪ねいただきたい」とのことだ。もちろんOKである。それに対してひと月に5万円をいただくことになった。これで研究費の心配がなくなった。

これが私のコンサルティング第1号である。コンサルティングの仕事はとても楽しく時間が過ぎてゆく。その頃、小野薬品でどんどん進んでいたプロスタグランジンの工業化について、自分の研究の話をしてお金をいただけるのはありがたいことだった。

5万円は当時の私の給料の倍近い額である。この5万円で普通より10倍近い資金で研究ができることになったのだ。このおかげで分子性酸触媒の研究は急速に進み、その後の私の研究の中枢部が形成された。研究室の学生のメンバーもさすがに京都大学で、皆優秀だった。こうして私の京大での５年間が始まった。

研究がどんどん実を結び、論文も出せるようになった。しかし英文の論文を書くことには本当に時間がかかった。どういう英語で書けば人に感動を与えることができるかばかり考えていた。一晩かけて使用する英語を一語だけを考え出した日もあった。その頃の私は日常会話は大丈夫だったが、本当に力強い英文を書くことには慣れていなかった。しかも、力強く、華麗に書くことができるかどうかで、本当に一流の論文になるかどうかが決まる。論文を読んでいるときにキーワードを見つけ、ノートに書き出すこともこの頃に始めた。たった一つのキーワードで論文が生き生きとしてくるから面白い。

いくつかの論文をアメリカ化学会誌に発表できた。

私は自分自身の分野を開きたかったのだ。これまでの既存の分野に参加する気持ちは全くなかった。この無謀とも思われるやり方が、今では正しかったとつくづく思っているが、亜流になる研究には全く興味がなかった。そうして私は「分子性のルイス酸触媒」という新しい分野を開くことができた。

従来のルイス酸触媒は塩化アルミニウムや塩化亜鉛のような、いわば無機化学の化合物だった。これらの構造は複雑に絡み合っており、その反応を合理的に理解することは難しい。分子性のルイス酸触媒とは、有機物と金属酸を繋いで、酸触媒を単体にすることを試みた反応剤で、これによって反応の理解が初めて可能となった。

講演のトリは「冗談」が必須

その頃、ベルギーの学会から手紙が届いた。その学会で私の研究について招待講演をして欲しいという。どうしたら良いかわからず野崎先生に相談した。先生には「君がゆけないなら、私が代わりに行く」と言っていただいた。そして先生は本当にベルギーに行かれた。これが私の最初の招待だった。

その後は私が自分でゆくことになった。これまでに招待講演や基調講演は300回を超える。そしてその間、旅費は全て招待くださった相手が払ってくれた。これまで私が自分で講演旅行の旅費を払ったことは一度もなかったが、今ではこれが私の矜持となっている。

また、それに伴って様々な賞もいただいた。後にノーベル賞を取られた野依良治先生からは「一年に一つは賞を取れるようにしなさい」と言われたものだ。

スイスの学会からの招待状を頂いたのもその頃である。ビュルゲンシュトック（スイスのリゾート地）で行われるその学会は大変有名であった。会場はルツェルン湖を見渡す丘の上の素晴らしいホテルである。とんでもないほど高価なホテルだが、スイスの化学会の要請で、時期はずれに比較的安価な経費で開かれるそうだ。

タクシーでホテルに到着し、部屋に入って驚いた。窓からの湖の景色はまさに息を呑むものだ。もっと驚いたのはスケジュール表を見ると若造の私の講演時間がトリだということである。

１週間の学会が始まった。学会では今まで論文でしか知らなかった研究者に何人もお会いでき、研究の話ができた。週の中日には、湖を船で渡ったり、木でできたカペル橋に行くような近辺の観光を企画してくれる。湖岸に行くためには少し高い丘の上にあるホテルから小さなケーブルカーに乗らなければならない。

自分の講演の日が近づく。トリの講演では少し冗談を入れたり小話をするのが伝統と聞いて本当に困ってしまった。神戸生まれの私は、大阪生まれの友人のような「笑い」を取ることへの訓練がほとんどないのだ。

そこで当日、私は講演を日本語で話すことにした。聴衆は私の英語が下手だからだと思ってしばらく一所懸命に聞いてくれる。だがどうやらおかしいと気づきざわざわとなる。そこで私が英語で話す。こんな筋書きで、なんとか笑いをとることができた。

講演の回数が増えるに従って、段々とそれは上手になっていく。経験を積まなければ上手く喋れないものだ。回数を重ねるうちに、講演で何より大切なことは聴衆全員に話すのではなく、そのうちの一人に自分の仕事を話すつもりで話すことだと分かった。

そして恩師の野崎先生の教えが大変に役立った。スライドに書くことは5行以内にとどめること、1枚のスライドで約1分を目処にすることだった。もう一つはウッドワード先生の教えである。1枚のスライドが終わったら、聴衆が次のスライドのイメージを頭に描けるようにスライドをつなぐことが大切だという。論文の書き方や講演の仕方などのような教科書には書いていないことを私は急速に学んでいった。

若手を自費で育てた先生

当時、有機化学分野で知らない人がおらず、ノーベル賞の候補にもなられた向山光昭（むかいやまてるあき）先生（元日本化学会会長、東京大学名誉教授。故人）の肝煎（きもい）りで米国と日本との若手研究者の小さな会合が企画され、そこにも招待していただいた。東京のホテルにゆくと、日本、米国からのそれぞれ10名くらいの参加者である。

会合では一人が1時間ずつ話す。私は分子性酸触媒の話であった。ハーバード大で友人となったシャープレスも参加していた。私はこの会合で何人ものアメリカの友人を作ることができ、その後、40年以上のつながりができた。今でも向山先生に感謝している。

もう一つ、向山先生に感謝していることがある。先生から東京の一流ホテルに招待されたことがある。訪ねるとそこは大きなスイートルームだ。私以外にも数名の様々な分野の若手エースを呼んでおられた。専門は生物から化学、物理、数学と広範囲にわたる。数日間彼らとそのスイートに宿泊し、それぞれ専門分野のお話を伺った。これによって、化学以外の分野にも目を届かせることができた。先生の深慮に深く感謝した数日であった。そうした費用は先生がポケットマネーで支払っておられたと後で聞き、また感動した。

さらに、もう一つある。向山先生はクラレのコンサルティングをしておられたが、その研究所（くらしき研究センター）で一年に一度、我が国の若手の研究者を20名くらい集めて、シンポジウムを開かれていた。そこにも呼んでいただいたのだ。土産物もたくさんいただいたので、研究所のある倉敷に行くのがとても楽しみだった。

このシンポジウムでも多くの友人ができた。会議が終わってからの夕食やその後のバーでの会合は私には目新しく勉強になった。向山先生はこうした場所での出会いをとても大切にされていた。先生は私と会うと必ず「今世界で注目されている若手の研究者を教えて欲しい」と言われる。

東工大から、東大へ、そして東京理科大へと、定年になられるたびに大学を移られた向山先生は我が国の有機化学を世界に認めさせた巨人である。

向山先生ほど日本の化学の行方を大切にされていた化学者を私は他に知らない。

「人の後ろ」は許せない人たち

野崎一先生は毎日遅くまで実験することには、問題があると思っておられた。いつも5時頃になると、必ず実験室に来られて「山本君、もう帰ろう」と声をかけられる。8時間くらい一所懸命に働けば十分だと言われる。

　そういうわけで毎日のように一緒に帰宅して、その間も色々と教えていただいた。野崎先生は一日中働くことには疑問を持っておられ、過剰な努力は必要ないというお考えなのだそうだ。１日12時間以上も働く人は必ずどこかで手を抜いているというのが先生の持論である。先生の合理主義は徹底されていた。電車に乗るときでも、必ず目標の駅を降りたときに階段に一番近い車両の扉付近を選ばれる。

　向山先生はゴルフでは朝一番のスタートしかプレーしないが、それは人の背中を見るのは嫌いだからだと言われていた。野崎先生も降りた駅で人の後ろを歩くことは許せなかったのだろう。

　野崎先生は朝と夕方の電車に必ずメモ帳を持って乗られ、車内で本の原稿を書かれる。そして、何冊も面白い本を出版されていた。１日にたとえ5行でも、毎日書けば１年で１冊の本になる。先生の本は必要ない部分を削ぎ落としたような小気味好い文章だ。ダラダラ書かれない。この電車での執筆が反映されているのかもしれない。

　野崎先生のグループにはＮＭＲ（核磁気共鳴分析）の機器がなかった。工面して高価な１台を購入できたが、狭い研究室のどこに置くかが難問だった。私は教授室の一部が空いていたので、ここにおくべきだと提案した。機器の会社の方はびっくりしたようだが、先生は喜んでいた。測定に来る学生と数分間でも毎日話をされていた。先生は実は孤独だったのをメンバーは知らなかったのだ。

吉田善一（よしだぜんいち）先生（元日本化学会会長、京都大学名誉教授。故人）とお会いできたのもこの時期である。先生はとても自信たっぷりの学者で、様々な新しい研究や化学の市場分野を切り開いた人だ。野崎先生とは全く違う個性の先生である。

ある日、野崎先生が吉田先生にお電話をしたところ、吉田先生の対応が生意気だと野崎先生が怒っておられことを思い出す。吉田先生は野崎先生より少し後輩だったが、野崎先生は「吉田君はいつの間にそんなに偉くなったんだ」と言っておられた。しかし、吉田先生は若い人を育てるのがお上手で、私が赴任するとすぐに連絡をくださり、先生から金一封をいただいた。吉田先生は遊びにも熱心で、京都の茶屋での顔が広かった。

日本では年齢が若すぎる

京都は花街が近かったせいか、大学の先生もお茶屋に通う人が多かった。知り合いの農学部の先生はお茶屋の一晩が過ぎて、朝トイレに行くときに出会った人が自分の父親だったという話もあった。野依先生も決まった有名なお茶屋さんの４畳半が仕事が夜までになったときの定宿だったという噂も聞いた。後にお茶屋に連れて行っていただいた折、お茶屋さんで気に入られるのは生やさしいことではないことがよくわかった。

学生とはよく飲みに出かけた。その頃の私は比較的お酒に強い方で、ウイスキーのダブルで学生30人全員と盃を交わしたことがあった。さすがにこれはこたえた。電車の一駅ごとに降りて、吐いて、また乗って、吐いてを数回繰り返して自宅に帰ったのを覚えている。こうして学生時代とは違う京都を楽しめた。

約束の５年は瞬く間に終わった。野崎先生は私を講師に格上げしてくださった。しかし辞職の気持ちは変わらなかった。先生にもそう申し上げた。先生は、それではなんとか日本の中に職はないかと考えられ、様々な手を打ってくださった。野崎先生は、ちょうどその頃に開学した筑波大学なら職があるかもしれないと考えられた。

私はとりあえず筑波大学で講演をさせていただいた。筑波は著名な先生のおられた大学でいろいろと討論して良い印象だった。大学は開学したてで、文字通り工事中が多く、ぬかるみの道が多かったのを覚えている。しかし、残念ながら職を得ることはできなかった。また、岡崎の分子研究所で募集があり、ここも応募したが、面接で先輩に譲るように言われてこれも終わった。そのほか、様々な大学に応募したがダメだった。

その原因は基本的には年齢が若すぎるということのようだった。

これでは日本で職を得るのは難しいと思い、コーリー先生に電話をした。なんとかしていただけないかと思ったのだ。コーリー先生は「お前は基本的には日本で就職したいと思っているだろう。それなら少し日本に近いハワイにゆけ」と言われた。そういうものかと、ハワイに行って講演をして応募した。

アメリカは日本とは違い年齢を一切気にしない。話はとんとんと進み、私はハワイ大学に就職することになった。

研究室のメンバーが最後の飲み会を開いてくれた。私にとっては大切なメンバーであった。最後には私を胴上げして送り出してくれた。一人ひとりが私の教え子である。目が潤んだ一瞬だ。

第5章　世界中からの招聘　ハワイ大学

南国特有の香り

ハワイ大学はホノルルのビーチから少し山側にある。広い敷地に建物が並ぶ。ハワイ大学の先生はホノルルには住んでおらず、少し郊外に住んでいる人が多かった。私は住まいをどこにすればいいのかわからず、とりあえずキャンパス内の宿舎に居を構えることにした。さすがにアメリカで、大学宿舎でも日本のアパートの倍くらいの広さで伸び伸びした雰囲気だ。気のせいか、南国特有の香りがキャンパス中に広がっている。後で、この香りはブルメリアだとわかった。白い綺麗な花で、ハワイアンレイで使われている花だ。

ハワイ大学の実験室を見せていただいた。新しい建物だが、驚いたことに窓がない。窓をつけると冷房代が嵩(かさ)むのを防ぐためとか。せっかくのハワイなのに窓からの景色はお預けになる。ほとんどの建物は廊下が吹きさらしになっており、これも結果的には窓がない。

私の部屋と実験室は、いつでも実験できる体制には設備が整っていてほっと安心したが、窓がないので長くいると閉所恐怖症になりそうだった。

京大時代に私の部屋にいた丸岡啓二君（後の京大大学院教授、現特任教授）がハワイについてきてくれて、ハワイ大学の大学院に入学していた。そのほかにも何人かのハワイ大学の大学院生や学部の学生が私の研究グループに参加することになった。

こうして１９７７（昭和52）年、私のハワイでの研究生活が始まった。

私は京大でのプロジェクトを延長した研究の他に、少し新しいプロジェクトも開始した。早速、研究費の申請書をいくつも作って提出した。ハワイの申請書は日本でのものと全く違っており戸惑うことが多かったが、何しろお金がなければ何もできない。

ハワイ大学の化学教室は国際的に結構、有名であった。海洋生物の化学は素晴らしく、世界を席巻していた。特に特殊なイソギンチャクが持っているパリトキシンという新しい物質の研究では有名であった。パリトキシンは有機物質では世界最強、最有毒とされ、フグ毒など足元にも及ばない。数十グラムを貯水槽に入れるだけで、数十万の市民を全滅させることができるそうだ。このため、この物質は米国の陸軍が高価で買い上げていた。

実は我が国でもこの物質を含んでいるスナギンチャクを沖縄諸島で見かけることができる。これについて名古屋大学の平田義正先生（名古屋大学名誉教授）が先端的な研究を進めておられた。先生が沖縄でボートに乗って採集をされていたとき、毒を持った海水を浴びてしまい目に故障が起きたというニュースに驚いたことを覚えている。これほどの毒性になると、研究する側も本当に命懸けである。

ハワイ大学と平田先生はパリトキシンの構造をどちらが先に決定するかで壮絶な戦いをされていた。平田先生はこの研究の後、亡くなられたが、そのお葬式の準備で学生たちがご自宅にゆき、お手伝いをしていたとき、学生の一人が蘭の鉢を蹴飛ばして先輩に叱られたそうだ。先生の趣味で大変に高価なものだった。面白いことに先生の奥様は先生が給料の他に講演などでの収入があることをその日まで全く知らなかったそうだ。

ハワイの迷信

この有毒なイソギンチャクはハワイのある海岸で採集することができる。しかし、毒性が非常に高いことを原住民はよく知っていて昔から信仰の対象となっていた。そして、この毒を取り出した人には必ず大変に不幸なことがあるという伝承があった。ハワイ大学の先生はこの迷信を信じることなく地元の人の言うことに逆らって、その海岸に行き毒を採集した。採集が終わって大学に戻ると、研究所が火事でほぼ消失していたという。

パリトキシンの構造はハワイ大学と平田先生の名古屋大学が同時に発表した。「こんな構造があるのだ」と思うほど入り組んだ巨大分子だ。発表後に何年かしてハーバード大学の岸義人（きしよしと）教授（ハーバード大学名誉教授。米国エーザイ副社長も務めた。故人）が全合成に成功した。岸先生は平田先生の愛弟子である、教師と弟子との素晴らしい連携プレーである。

ハワイ大学でこの天然物の研究をしていた先生（P. J. Scheuer 教授と R. E. Moore 教授）は、私がハワイ大学に参加することを大歓迎してくれた。様々な貴重な助言をいただき、その後の私の研究の発展に大変に役立った。長くハワイで暮らしていたその天然物のショイヤー（Scheuer）先生は驚くほど寒がりで、少しでも寒いと、自宅で暖炉を焚くらしい。ハワイで暖炉を持っている家はほとんどない。先生は20度以下の気温は寒いという。

先生のご自宅はマノア・ヴァレーという大学より少し谷に入ったところで、素晴らしい場所にある。この谷では非常に綺麗な虹がほとんど毎日見られることで有名だ。場合によってはダブルの虹を見ることもできる。谷の奥には様々な見どころがあり、観光客が絶え間ない。イースターのお祭りでは、マノア・ヴァレーで卵を探す催しがあった。子供たちを連れて参加し、米国のこうした催しの良さを感じることができた。日本におけるさまざまなお祭りとよく似ているが、子供が主役になっている点はかなり違っている。

折角のハワイである。日曜日には子供たちを連れて、海水浴に出かけた。観光客の多いワイキキは避けて、アラモアナ・センターの前の海岸がお気に入りの場所だった。車でゆき、海岸の近くに駐車して、2~3時間ほど楽しんだ。さすがに海は綺麗だ。日本からのお客さんが来られたときには、ハナウマ湾にお連れした。泳ぎながらたくさんの色とりどりの魚を鑑賞し、ビスケットやパンを魚にあげることもできる。

ある日、鮫が湾内に入り込んで大騒ぎになった。湾の構造上、一度入ると出るのは比較的難しいのだ。

次々と舞い込んだ招聘

私はそれまでの研究と一線を画すため、天然物の全合成を行なった。それも私たちの開発した新しい手法を縦横に使い、とても綺麗な合成になった。同じ化合物をハーバード大のコーリー先生も同じ時期に作られたが、私は自分たちの合成の方が遥かにエレガントだと自負していた。

天然物の全合成とは、自然界に存在するさまざまな物質と全く同じ物質を人工的に化学を用いて作り上げることである。昔は単純な化合物だけであったが、現在ではとても複雑な物質でも合成することが可能となった。これを化合物の全合成といい、時には世界中で誰が最初に合成するかで、競争になることも多い。結果的には化学の力を試す場になることも多い。

私は基本的には合成はほとんどしてなかったが、ハワイでちょうど注目された化合物が面白そうなので合成した。前述のようにちょうどその時にコーリー先生も同じ化合物を合成していたのだが、結果的には私の合成の方がスマートで美しかった。当時、そのほかにもさまざまな反応開発も進めており、結果的には多くの研究者の興味を惹いたと思う。

この合成が呼び水になった。世界の様々な大学からの招聘がきたのだ。

特にコーネル大学は私を数日間招待して、大学をしっかり見学させてくれた。また、有名なアイスホッケーの試合も見物させてくれた。何人もの教授と面会し「ぜひ、コーネル大に来るように」と強く説得された。コーネル大学は非常に美しいキャンパスで、キャンパス内にある美しい滝は有名だ。大学の遊歩道を歩いていると、本当に豊かな気持ちになれる。私の気持ちはコーネルに傾き始めた。

同じ時期に日本の東北大学も私に興味を示し、招待してくれた。何人かの著名な先生に面会し、食事をご一緒しながら大学の一員になることを説得された。そのときいただいた牡蠣鍋が私にはとても印象に残り、仙台はいい街に見えた。そして私はほとんど仙台に行く気持ちになっていた。しかし私の採用に関する投票が行われ、否決されたのだ。

その頃、東北大学の人事の規則が変わり、新任の教官採用には教室全員の賛成が必要となっていた。教授の先生方は全員が私を採用する気持ちになっておられたが、若い先生方の票が集まらなかったようだ。つまり当時は年齢が若いということが大きなハンディキャップになっていた。その後、その教室は20年近くの間、私が行くはずになっていたポジションを空席にしていたそうだ。

「最も若い」が欠点に

短期間のうちに、コロンビア大学、カリフォルニア大学バークレー校、コーネル大学、大阪大学、名古屋大学、東北大学から次々と招聘状を頂いた。中でも名古屋大学の野依先生には御自宅に呼んでいただいて、先生からいろいろな内情を伺った。先生は自分の所属は理学部なので、工学部の籍に招聘された私を強く推薦できないが、少し距離を置いて応援すると言われた。私は研究ができそうな名古屋の雰囲気が気に入り、招聘を受ける気持ちになっていた。

その後、私は１９８０（昭和55）年に名古屋大学に講座担当の助教授として赴任し、83年に教授になったのだが、そのとき私は39歳で名古屋の工学部の数百人の教授のうち最も若い教授であった。そしてその後、「最も若い」ということが何年も続いたのだ。やはり年齢は重要なファクターなのだろう。

私の場合、海外の大学で仕事をしてきた上、年齢が非常に若かったのは、利点でもあり欠点でもあった。特に年齢が低いことは、既にその大学におられる研究者の面子を潰しかねない。その不公平感が非常に大きいのだ。

一方で米国では年齢は若ければ若いほど良いのだ。最近知ったことだが、ドイツでは博士号取得後一定期間内でポストを獲得できなければ法的に学術研究機関からお払い箱にされるそうだ（日経バイオテク、２０２２年６月）。年齢が若いほど優遇される国の特色が明らかだ。

我が国の大学と米国の大学では招聘の仕方が全く異なっている。米国では招聘時にどのくらいの広さの実験室が与えられるか、立ち上げるファンドはどのくらいの金額かを提示してくるのが普通だ。また、教育の負担がどのくらいかも論点である。さらには秘書がつくかどうかも問題だ。教授室のサイズや、その家具も話題になることがある。

また、招聘する側では、その町がいかに素敵かをさまざまな形で表現する。街のレストランの質がいいかどうか。さらには交通の便がどのくらい良いかなど、ありとあらゆることが重要だ。さらには、もし教授の奥さんが働きたいときには大学が世話をすることもあるし、その奥さんが科学者の場合には大学から奥さんにオファーを出すことも珍しくない。

日本の大学の場合は、上記の論点は基本的にはゼロである。極単に言えば「招聘してあげる」という意識が非常に大きい。もちろん私の場合には東北大学も名古屋大学も真剣に色々と説明してくれたが、「細かい点に関しては赴任してからお話しします」というスタンスである。

州立大学のよいシステム

ハワイ大学はハーバード大学やシカゴ大学とは異なり州立大学である。だからいろいろと規制もあるが、州から大学に入ってくる基金は結構多い。この基金はＮＩＨ（アメリカ国立衛生研究所）、ＮＳＦ（アメリカ国立科学財団）等の国家基金とは異なり、いわば日本の昔の講座費のようなものであり、申請しなくても配給される。大学を維持する上でとても大切な基金である。

米国の州立大学は日本の公立大学に相当するが、基金はそれほど潤沢ではないようだ。そのかわり学生の支払う授業料が、州の居住者と州外の居住者とでは大きく異なっている。その州に住んでいれば、授業料は数分の一で済むのだ。このため米国では地元の州立大学を進学先に選ぶ学生が多い。そして大学院では州外に出てゆくことになる。日本では居住場所による特典は見受けられない。

このシステムによって、少なくとも州立大学は米国の中での格差がそれほど大きくならない。格差が大きいのは私立大学だけになる。これは我が国でも取り入れてはどうだろうか。公立大学は息を吹き返すと思う。

ハワイには3年くらいしかいなかった。2年目には次に移動することを決心していたので、あとの1年は余分の期間である。もちろん研究は進めた。丸岡啓二くんがアルミニウム化合物を用いる素晴らしい反応を見つけてくれたのもこの時期である。

「君が開く学問の分野は何だい？」

私はハワイの最後の1年は少し贅沢をさせてもらおうと、給料のほとんどを費やして、ダイヤモンド・ヘッドを見渡せる高台の一軒家を借りた。ベッドルームは4つあり、庭も広い。家を借りる上での家主の条件は「庭の世話をきちんとすること」である。私は中学高校と庭作りをしていたので、気軽に引き受けた。

しかし、暮らし始めるとそれが大変なことにすぐに気づいた。なにしろ、ハワイは一年中25度程度の気温が続く。毎日、夕方には30分くらいのスコールが降って、水撒きは必要ない。もちろん日差しは強い。この好条件で植物の成長は異常に早い。毎週の草刈りはもちろんのこと、ハイビスカスも頻繁に刈り込みが必要で、その結果、切った木や草の廃棄で1メートル以上ある大型ポリ袋に毎週10杯の量を捨てなければならない。毎週この庭仕事に疲れ果ててしまった。

親友のシャープレス教授が泊まりがけで訪ねてくれた。その頃、ＭＩＴ（マサチューセッツ工科大学）からスタンフォード大学に移動していた彼とは、夜遅くまで研究のことで話し込んだ。しかし、彼は翌日にはサーフボードを借りて一日中、しかも一人でハワイの海を楽しんでいた。これがアメリカ人だと、つくづくそのエネルギーに圧倒された。

彼と話すのは、基本的には今後の世界の化学の動向である。どういう風に世界は動いてゆくのか、新しい世界でイニシアチブを取るにはどうすればいいのか。全く新しい分野はなんだろう。その分野を開くにはどういう武器が必要だろうかなどが主な話題になる。「君が開く学問の分野は何だい？」と聞かれる。残念ながら、日本の若者でこうした破天荒な話を展開する人は非常に少ない。

その後、シャープレス教授はノーベル化学賞を二度も受賞することになる（２００１年、２０２２年）。

長年の友人のシャープレス博士はさまざまな面白い行動（奇行）で有名だ。米国でMITの助教授になったおり、彼はなんと物理化学の講義をさせられた。彼と物理化学は最も相応しくない組み合わせである。最初の講義のとき、黒板に方程式の証明を書いていると、後ろの学生がざわついている。どうやら何か間違いがあったらしい。そこで黒板を全部消して、また新たに書き始めたが、今度は教室の学生の半分が手を挙げている。そこで、彼は全部消して、今日の講義はこれで終わりと言って部屋を出て行ったそうだ。

また、ある日、彼はMITでジョギングした後、シャワーを浴びていたときだが、急に研究プロジェクトの新しい展開を思いついたそうだ。そこで、タオル一枚で実験室まで走って帰った。皆が呆れて見ていたそうだが、彼はプロジェクトのことしか念頭になかったと後で言っていた。

日本に講演旅行で来たおり、彼は奥様と赤ちゃんを連れて日本に到着した。ある日、奥様が所用で赤ちゃんの世話ができなくなり、彼は子供を背負って講演したそうだ。異様な景色で聴衆はいずれも呆気に取られていたそうだが、天真爛漫な彼の性格を知っていたのか何事もなく最後まで講演は続いたそうだ。面白いことに、誰もが彼の講演を楽しんだと聞いた。

いずれの場合にも研究者たちの中で彼を非難する人はいなかった。天真爛漫な彼の全てを受け入れていたのだろう。

日本の友達にハワイ大の勤務だというと、皆羨ましいという。しかし、ハワイはやはりほとんど熱帯の場所なのだ。ある日、少し研究が長引き、夜遅く自宅に帰って、肝を潰した。自宅の前の幅３メートルはある道路が文字通り、いっぱいのゴキブリの大群である。歩くたびにゴキブリを踏み潰す。アウトサイド・コックローチと言って、家の中には来ないというので安心していたが、その異常な数は驚くほどで、足の踏み場もなく気味が悪い。早々に家に逃げ帰ったが、やはり南国ハワイは日本とは全く違う。それ以来、ときどきゴキブリの夢を見てうなされた。

日系人と中国人

ハワイの気候は学生の衣服も非常にシンプルだ。大学での講義で質問があると先生は、学生にこの時間に教授室に来てくださいと質問の時間を設ける。私も質問時間を設けた。

質問に来た学生とは一対一で話すことになる。狭い教授室で女性の学生と一対一で、しかも彼女が薄着の場合には目のやり場に困る。このため、学生の質問は教授室ではない、大きな部屋で行うことに決めた。

ハワイ大学の学生には日本人が多い。ハワイの人口の4分の1くらいは日系人だったかからそれほど驚くことはないが、この日系の学生は普通のアメリカ人に較べて、圧倒的に優秀である。学部を終えて、ハワイ大学の大学院に入ってくれたら嬉しいのだが、ほとんどが本土の有名大学にゆく。大変残念に思った。

日系人は父親や祖父がいかに苦労したかを話してくれた。日本から移住した後、生活はとても酷いものだったらしい。その頃の彼らの唯一の楽しみは日曜日に日の丸弁当を作って、ホノルルの小高い山に登って家族で弁当をいただくことくらいだったという。今でこそ日系人はハワイを牛耳っているが、その裏には涙する話が山のようにある。その気持ちの裏返しが、祖国日本に対する熱い思いである。皇族がこうした外地を訪問したときの日系人の歓迎の涙はそれだけで尊いのだ。

一方、中国人はまた違う顔を見せてくれる。私のグループの学部の学生には中国人女性がいて、彼女の家に食事を誘われたことがある。家に着くとびっくりするほど大きな鉄の門で、インターフォンで鍵を開けてもらい、5分ほど車で走ってようやく屋敷の門に到着した。予想通りの大邸宅だ。1階と2階は厳重に区切られており、たとえ泥棒に入られても2階には絶対に行けない工夫をしているそうだ。彼女の父親はとてつもない金持ちで、カリフォルニアまで自家用ジェットでいった折、上空から見える大きなショピングセンターを父親が指さして「このセンターはお前の名義になっている」と言われたそうだ。母親も香港で大きな宝石商を経営していると聞いた。ホノルルではこんな中国人の金持ちが珍しくなかった。

感心したのは当日の食事が子豚の丸焼きで、これは彼女が料理したものだと聞いたことだ。こうした家庭内での子供への教育は中国人はかなり熱心だ。ちなみに子豚の丸焼きは素晴らしいもので、彼女がいう通り皮が驚くほど美味しい。しかしほとんど原型に近い子豚を見たときには少し引いてしまった。

その後、グループの大学院生が彼女を好きになってしまった。彼は先述の天然物の合成で成果を挙げた人で大変優秀な若者だった。もし彼女も彼に好意を持てたら問題は簡単だったが、彼女は全く彼には好意を持たなかったのだ。というより、彼のことは見るのも嫌だという。仕方がないので彼女にはグループから外れてもらうことにした。彼女はそれ

でももう少し勉強したいというので私との一対一の教育をその後、1年ほど続けた、

その男性の学生は卒業後大きな製薬会社に就職して、その企業で大成功を収めた。大きなブロックバスター（画期的な薬効で他製品と比べ圧倒的な売り上げの製品。年商10億ドル以上の製品を指す）を作ったのである。その後、その企業を辞職して、自分でベンチャーを立ち上げそれにも大成功を続けている。ハワイ大学に巨額の寄付をして有名になった。私も間接的にハワイ大学に貢献したのだ。

ハワイでの3年間はそれまで息急き切って生きてきた私にとって一種の休養になった。自分自身の来し方行く末をじっくり見渡すことのできる時間をいただいた。人生では客観的に自分を見直す時期があってもいいと思う。

第6章　名古屋が日本のナンバーワン　名古屋大学

「世界の常識」を創った

１９８０（昭和55）年、私は名古屋大学に赴任した。研究室を見せていただき、少しがっかりした。とても薄暗く、全体に荒れて汚れが目立つ。以前の先生が退官されたままの状態だ。まず、ここを明るく、新進の感じを出したいと思った。

いらないものを片端から処分し、また廊下を明るくするためにみんなでペンキ塗りをした。ペンキは関西ペイントから無料でいただいたので、費用はかからない。数日経つと驚くほど明るくなった。その後、お客さんが来られたとき、「雰囲気が変わりましたね」と褒められた。以前は「地下のワイン倉庫のような感じだった」と言われる。確かに暗い、寒い、土色だったのが、暖かく、明るい色になった。これで研究開始だ。以前からおられる助教授の方（その後、山口大学に転出）、教務員の方、そして助手となった丸岡啓二くんのスタッフで始める（私は講座担当の助教授として赴任、３年後に教授）。

ここから名古屋大学での20年の研究生活が始まることになった。

新しい年度が始まり学生の募集だ。７人の新しい学部学生が私の研究室に入ってきた。学生それぞれに別のテーマを説明する。皆元気いっぱいである。私は研究プロジェクトを一対一の対面で議論することが好きだった。もちろん、新入生の場合には何も知識がないのでそういう形にはできなかったが、対面のディスカッションが私の流儀だった。

以前の先生の置き土産も多かった。大半は捨てたが、その中に白金の坩堝（るつぼ）があった。全部で10個くらいあり、それぞれが１００グラムくらいだ。勝手に処分はできず、かといって置いておくわけにもいかず、大学にお願いして引き取っていただいたが、後から考えると少し惜しい気がする。「先生、もったいないですよ」と注意をいただいたが、余分のペーパーワークは避けたい。

小野薬品等の資金も潤沢にあり、しばらくは問題なく研究が進められる状況であった。当時は私が行っていたコンサルティングも8社くらいになっていた。コンサルティング業務も日本の企業の現状を知る一つの大きな情報源となった。ハワイに在住しているときも、こうしたコンサルティング業務は行っていたので、名古屋大学で問題なく継続できた。

当時、野依良治先生が「不斉還元反応」で一世を風靡されていた。

不斉合成は野依先生が京大時代に始められたときには数％の純度で、微かに光学活性になったとしか言えなかったが、ここで述べる先生の新しい触媒はほとんど完全に純度の高い不斉化合物が得られた。興味深い反応である上に、世界に先駆けて工業的にも使える反応になったのである。その成功の裏には遷移金属を触媒として使う、全く新しい化学を開いたと言って良い。そういう意味で、野依先生は初めて人類に使える不斉合成の手法を提供した。特に医薬品では不斉合成しなければ、不必要な化合物が副作用や場合によっては毒性を示すこともある。必要な構造だけを効率よく作ることを世界中が望んでいた。

私はその分野には入らないつもりだったが、私の開発した「ルイス酸の化学」の延長で不斉合成をすることは可能だと考えた。

酸とは何だろう。一番小さい酸はプロトン（陽子）である。これは水素（H）が電子を一つ失い、その結果＋1となったもので、これをH^+と表現する。塩酸や硫酸などにはこのH^+がたくさん存在している。H^+はマイナスイオンが近づくと、それとあっという間に結合ができる。これが中和である。

ルイス酸というのはH^+ではなく、金属（M）が同じように電子を一つ失ったものでM^+である。やはり化合物が近づくと金属との間に結合ができる（中和と同じ）。金属との間に結合ができると、化合物は興奮した状態になり、これが反応を起こすのだ。私はこのM^+を不斉にした。そうすると反応が起こると不斉合成になる。

特に、還元反応ではなく炭素—炭素結合の合成ならほとんど前例がない。なぜなら誰も反応剤であるルイス酸を不斉にすることに至らなかったからである。

私は「ルイス酸触媒の不斉合成」に取り掛かった。

そして、世界初の「C−２対称軸を持つ不斉触媒」を開発した。それが素晴らしい性能で炭素と炭素との間の結合を不斉合成できることを世界に先駆けて見つけることができた。

これが起爆剤となり、次々と新しい触媒の開発に成功していった。私の名古屋での研究に一挙に弾みがついた。実際に「C−２対称軸を持つ不斉触媒」はその後、１００を超える論文が出てこの分野での世界の潮流となり、常識となった。

名古屋大学の戦い

野依先生と私は有機化学の分野で名古屋を代表する研究グループになったと思った。海外からの研究者が来訪したときには、私たちで様々な討論をする機会を作った。

野依先生は大変に誇り高い研究者で、「海外からの訪問者に、名古屋は有機化学の世界の中心の一つであることを知ってもらうのだ」と言われる。さらに、その上で「たとえば、食事や文化でも全ての分野で名古屋が先端であることを見せなければならない」という。

そのため講演が終わって質問するときには、講演者が驚くもの、また聞いたことのない質問や今後の研究に啓発される質問をしなければならない。そうした質問をすることで、講演者にははじめて名古屋の化学に敬服してもらえる。

つまり、質問は単なる質問ではなく、戦いなのだと野依先生は思われていた。

先生は「本人が考えなかったことを質問し、しかもその質問が夜、講演者がホテルに戻ってからシクシクと痛みを感じるくらいの質問でなければならない」と言われていた。

そして、私もそうした質問をすることを念頭に講演を聞いていた。

さらに野依先生は、講演の後の食事にも気を配っておられ、名古屋の超一流のレストランを選んでおられる。つまり、化学はもちろんのこと、食事でも名古屋が日本のナンバーワンだと思われるようにする。これによって、名実ともに名古屋が日本のトップになるという仕組みだ。そのため、食事も私たちには分不相応な店を選んだ。そうするうちに海外の研究者に名古屋の寿司は日本一だという噂が流れていて、私も驚いた。

ある日、野依先生が「自分たちは海外の様々な賞をいただくが、そのお返しをすることが難しい」と言われた。つまり「賞の世界で日本は輸入超過になっている。少しでも輸出入のバランスを取ることをしなければ、日本が世界から馬鹿にされる」と言われる。

そこで、ある財団の人と相談し、「名古屋メダル」という賞を作ることにした。これによって海外の著名な研究者を名古屋に招待しようというプランだ。当時は財政的な面でそれほど苦しくなかったので、スムーズに計画は進んだ。私はメダルにも日本らしさが欲しいと思い、刀の鍔（つば）をデザインしてもらい、そこには名古屋の文字と愛知県の県花である杜若（かきつばた）を浮き彫りにしてもらった。以来、毎年世界のトップの研究者を名古屋に招待し、受賞講演をお願いすることができた。この賞の受賞者のうち3名がすでにノーベル賞の受賞者となっている。

講演は一般的に1時間くらいのものが多いが、私たちは若い研究者に講演者の分野をしっかりと理解してもらうことも大切だと考え、かなり長時間の講演をお願いすることにした。数時間の講演は、演者のサイエンスの隅々まで理解できると好評だった。面白いことに最初はそれほど有名でなかったこの賞も、素晴らしい研究者の受賞が続くことでその後、世界的にも大きな賞として認められるまで成長した。

こうして名古屋の有機化学は徐々に有名になっていった。ハーバード大のようなわけにはゆかないが、やはり大学の存在感はその大学を目指す若者たちの質の向上にもつながる。これはとても大切な大学の見えない力となる。

あなたは断ることができない

ある日電話をいただいた。「この電話でお願いすることは、あなたは断ることができません」と最初に言われ、びっくりした。当時の工学部長の松尾稔（まつおみのる）先生（故人）からである。先生は私に工学部の経理の責任者になれという。これが始まりだった。松尾先生は素晴らしい個性の持ち主であり、その先生と協力して工学部を運営してほしいと言われる。私には荷が重すぎる。また、これまでそうした役職にはほとんどついたことがなかった。皆目わからないうちに話が進む。気がつくと松尾先生の執行部にしっかりと入れ込まれていた。

しかし始めてみると大学の組織のことが少しずつ理解できるようになり、それなりに面白かった。特に、教育の面でのさまざまな試みには驚くことが多かった。そのときは米国の工学教育の手法を積極的に取り入れようとしていた時代だ。さまざまな文書を日本語に書き直すうちに、日本の教育と米国の教育の違いが明瞭に見えてきた。特に、当面の瑣末(さまつ)なアウトプットを重視する日本式の考えと、長期にわたる教育の効果を重んじるアウトカムの米国の考え方の違い、つまり「効率」と「効果」の違いは大きい。それまでそんなことを考えたこともなかった私には新鮮だった。

さらに、工学という言葉の定義が、制限や条件のある中での最善の策を見出すことだということも学ぶことができた。こうしたものの考え方はその後の私に大きな影響を与えてくれた。

松尾先生は物事を詳細なディーテールで理解するのではなく、全体を概観し、その外枠と目標で捉える考え方だった。この考え方は先生の出自である京都大学学士山岳会の流れだと思う。源流の西田幾多郎からの長い伝統が続いている哲学的な側面が強いと感じた。しかし、私は先生の講演の仕方や、人たらしとまで言われるほどの巧妙な話術など、勉強することがとても多かった。

また、松尾先生は京都の文化を絶やしてはならないと言われ、お茶屋によくゆかれていた。ある日、先生がお前もついてこいと言われた。昼過ぎに先生をお訪ねすると、すぐに隣の工学部の事務室（50名くらいの事務室）に顔を出され、これから京都のお茶屋にゆくから午後はいないよと大きな声で言われた。その磊落さに驚いた。そのまま京都駅まで行く新幹線に乗車。京都に着くと、駅前のホテルにゆかれ、そこで新しいワイシャツや下着に着替えるように言われる。何か水垢離でもとっているような感じだ。そして、タクシーでお茶屋に直行した。

そのお茶屋さんは京大の先生の行きつけのお店だそうだ。お店の入り口は4畳半であとは階段を上がる。先生は人が階段を上がる姿で、その人の器がわかると言われ、「さあ上がれ」と言われた。2階は広い座敷である。おかみさんが出てこられてお茶をいただく。たまたまその茶碗が私の大好きな清水卯一さんの作品だったのでそのことを言うと、おかみさんがとても私のことを気に入ってくれ、その後もさまざまな便宜を図ってくれた。松尾先生によると、お茶屋では最初に掛け軸、お花、お茶碗などについて褒めることが礼儀なのだそうだ。

しばらくして、食事が始まる。一般に一日一客が決まりで、客の情報の機密を守ることや、また料理の香りが混じらないようにという配慮だそうだ。そのうち、芸者さんと舞妓さんが参加する。彼女たちの所作は非常に綺麗である。驚いたのはお酒を何回注いだら、

1合になるかを数えているそうで、残りのお酒を振ったりの下品な所作はしない。こうして、私の初めてのお茶屋さん体験が始まった。おかみさんから、数日して礼状が届いた。巻き紙で達筆な墨での美しい手紙だ。これは確かに文化だと思った。

総長の目標

これには後日談がある。松尾先生は一年に一度くらいは芸者さんを名古屋に招待し、名古屋見物と夕食をご馳走する機会を作っておられた。ある日、「山本くん、困った。約束の日に別の要件が入ってしまった。君、やってくれるよな」と言われる。当日、名古屋駅までお迎えにゆくと新幹線を降りた3名の着物姿の女性である。さすがに皆、美人揃いであるが、背広姿の多い中で、私は少し恥ずかしかった。タクシーで美術館などを案内したあと、気に入っているイカの大きな生簀（いけす）のあるお店にお連れした。その後、ホテルまでお連れして長い一日が終わった。かなり疲労している自分である。

松尾先生のお話はいつも面白い。次々と新しいお話をされる。打出の小槌のようなものだ。その中でもブータンにゆかれた話は一番面白かった。日本人としてはめずらしいブータン訪問で大歓迎を受けたそうだ。

どこまでも続くブーゲンビリアの中を歩き、王宮に招待された。数週間の現地調査の後、帰国前になって、松尾先生は王様にとても気に入られたのか、娘さんの王女と結婚してほしいとの申し出を受けた。松尾先生が自分は日本に妻がいるからと丁重にお断りをしたところ、第二夫人で問題ないとの返事。這々(ほうほう)の体(てい)で帰国したそうだ。結構綺麗な人だったと、少し残念そうな先生であった。

その後、先生は名古屋大学の総長になられるが、私に自分が総長になったらやりたいこととして次の二つのことを言われていた。「一つは名大からノーベル賞受賞者を出すこと、今一つは大学キャンパスの中にコンサートホールを作り、そこで毎年バイオリンの世界コンテストを行うこと」の二つである。先生のスケールの大きさがよくわかる。名古屋大学からノーベル賞は出されたが、コンサートホールは夢のままで終わった。

その後、先生との関係は長く続く。私が中部大学に移った後も当時の先生のお仕事の愛知芸術文化センターをお訪ねして、さまざまなお話をしたり、ご一緒に食事をさせていただいた。先生は本当に私にとって生きる上での永遠の師匠である。２０１５年に先生は他界されたが、中部大学の理事を長年務めておられたそうで、遺言でご自宅を中部大学に贈られた。

名古屋大学時代には多くの友人ができたが、そのうち多治見（岐阜県多治見市）のお医者さんである藤井修照（ふじいみちてる）先生は長いお付き合いとなった。外科の先生だが、ドラマーとしても著名である。多治見のご自宅の横にコンサートホールを作り、毎年のように海外の音楽家を招待してコンサートを開いておられた。２００名くらい入るホールは地域の文化の花だったろう。奥様も眼科のお医者さんだ。先生は木曽福島に別荘を持っておられ、毎年夏には私と妻も泊まらせていただいた。ご夫妻はとても素敵で我々夫婦の目標である。

「物知り」を集めた大学

名古屋大学でも入試の業務は色々と務めさせていただいた。問題作りから採点、あるいは試験監督と結構忙しい。私はこんなものかと務めてきたが、よく考えると問題が多い。最近、名古屋大学の先生に聞いたところによると、学生が修士の修了後、就職してしまい、博士課程に進む人がほとんどいない状況だと聞く。

もし、日本の入試が「物知り」かどうかを測定するのであれば、大学入試に成功するためには暗記に重点を置く勉強をしたほうがよい。が、その勉強はその後の人生で必要な「知恵の勉強」とは全く違う。これは『日本の問題は文系にある』（産経新聞出版）でも述べた。「知識はそれ自体が目的とはならず、あくまで知恵を得るための手段である」と新渡戸稲造先生の『武士道』にも書いてある。博士課程に進学しない学生は、せっかくの機会である知恵の勉強を否定していると思う。

つまり、入試のときにそういう「物知り」だけを集めた大学の責任は重く、その後、本当の知恵の勉強を避ける人を育てたのは大学の責任だと言える。よく東大や京大の卒業生が期待外れだったと聞くが、仕方ないことだと思う。米国、フランス、イギリスなどではもはや「物知り」を集める筆記試験は行なっていない。

ＮＨＫのＥテレで「ニュー試」という海外の大学入試のあり方を紹介する番組があり、私はシカゴ大学に在籍していたことから出演させていただいた。様々な海外の入試のやり方にとても感動したが、中でもイギリスのオックスフォード大学の入試では受験者と教官が一対一で３時間かけて面接を行うと聞いて、驚いた。なるほど、それくらいの時間、二人で話すと本人の個性がすっかりわかるはずだ。

また、フランスのバカロレアの制度（フランスの高校卒業者が受ける国家試験。修了資格であり大学入学資格証明）ではフランス全土で一斉に哲学などの試験を行い、４時間かけて論文を書かせるそうだ。論文課題は、たとえば「何が正しいかを決めるのは国家の役割か？」などで毎年変わる。日本や韓国のような暗記力テストは海外ではほとんど行われていない。志のある学生を集めるには、海外の試験の方がはるかに優れている。

私は今こそ大学入試の手法を基本的な考え方から大改革して、物知りでなく、深く考える人を集める入試に変革する必要があると信じている。

さて、大学での講義は有機化学の少しレベルの高い科目を受け持った。テストになると、学生はカンニングをしたり、隣の席と話したりする。私は「君たちがそんなに相談したいなら、相談して良い試験にする」と言った。ただし、２人か３人ずつのグループとしてテストを受けさせ、その得点をグループの参加者それぞれの点数（つまりグループ内は皆同じ点数）にすると決めた。結局のところ優秀な友達を持っているのも芸の内だと思うからだ。しばらくはこの形式で不満はなかったが、そのうち一人がこの方式は不公平だと言い出した。「君たちがそう思うのなら」と普通のテストの方法に変えると決めた。

しかしやはり良い友達を作ることは卒業しても連絡して教えてもらえるはずで、そのときの小さな知識より大切だと思う。

大学の組織は数十年後も同じだろうか。最近の科学技術の進歩はものすごく早い。これまでの学部の名前がそのまま残るとは考えられない。

野依先生はたとえば「化学という名前もいつまでも続かない」と予言されている。まして、様々な分野の細かな名前は今後、確実に消えるだろうと思う。多くの人は、いつまでも、今日の姿がそのまま残ると思っているがそれは大きな間違いだろう。その変化の速度が加速度的に速まってゆくのは当然であり、大学が先導的に世界を変えてゆくとすれば、今日の大学は明日の大学ではありえないことを認識すべきだろう。

招待講演の楽しみはグルメ

実は名古屋に赴任した際に、まずレストランを探す必要があった。私はフレンチ、イタリアン、中華、寿司、天ぷらで、お店に行って座るとオーダーなしで自分の好きな料理が登場するのが目標だった。しかし、どのお店でも、この域に達するのに10年以上はかかった。それなのに、せっかくのお店が閉じてしまったり、私の職場が変わり別の街に行くことになってしまうのは残念でならない。特に天ぷらはとても難しく、本当に気に入るまで何十回も通うことになる。

私は日本人ほど舌がこえている民族はいないと思う。欧米の歴史と比べると日本の料理の歴史は江戸時代まで遡ることができる。調理にも非常に微妙な感覚が要求される。これに匹敵するのはフランス料理だけかもしれない。が、少なくとも私にとって日本料理に匹敵するフランス料理は稀であった。基本的には一皿でも美味しいと思う品があれば、そのお店は合格なのだが、それが残念ながら少ないのである。現時点では名古屋に２軒、中国や台湾に2軒、スペインのサンセバスチャンの多くのお店がそれにあたる。

サンセバスチャンは世界でのグルメの頂点に立っている。最近では三重県にサンセバスチャンをまねたレストラン街ができているらしい。しかし、サンセバスチャンの一番の強みはすぐ横にある漁港である。漁港と街とが共存しているようにすら見える。街の魚屋に行っても、魚の新鮮度が他の街とは段違いである。私は日本の漁港の隣にこそ、レストラン街ができてもいいのではないかと感じる。最適の場所は愛知県の師崎（もろざき）（愛知県知多郡）

かもわからない。サンセバスチャンの街に住むのはスペイン人ではなく、バスク人である。彼らの味覚は日本人に非常によく似ていると思う。味の薄さはフランス人とは正反対なのである。日本の出汁の文化とよく似ていると感じる。

名古屋時代には実に様々な国から講演に招かれるようになった。中でもイタリアは大好きな国である。イタリアでも私たち夫婦が気に入っているのはナポリとシシリーだ。ナポリはもちろんポンペイの遺跡が素晴らしく、その遺跡を訪ねると、人間が何千年もほとんど進化していないと感じる。遺跡の道を歩くと現在の下町の感じがする。何年経っても同じだとすると虚しいが、逆にそれはそれで楽しいとも思える。

一方、ナポリは泥棒の多い街とも言われている。確かにトランクを置くと、すぐにどこからか手が伸びてくる。財布を取られた友人は取られない友人より多い。しかし、モツァレアの美味しさは、盗難への心配を消し去るほどだ。スパゲティやピザは日本で食べたものはなんだったのだろうと感じる。ナポリの少し南の方まで足を延ばしたことがある。いくつもの海水浴場が続くが、タクシーは山沿いの細い道を猛烈な速さで駆け抜ける。事故恐怖症の妻は「ゆっくり行って！」と大声で言うが、ゆっくりになるのは5分くらいでその後は元のスピードになる。それだけ苦労しても到着した海岸の美しさが癒してくれる。

シチリアはナポリに比べて田舎の楽しさがあり、海産物の素晴らしさはサンセバスチャンに匹敵する。少し歩いて道端の八百屋を覗くと、日本と同じ野菜とは思えないほどの瑞々しさと色とサイズに感動する。だから美味しいんだと心底思えるのだ。イタリアのワインはイタリアで飲むと格別に美味い。どう考えても不味いワインは早々と海外に売りに出して、美味しいワインは自国で楽しんでいる。これが典型的なイタリア流だ。

ベニスには何度も出かけた。夫婦で出かけることが多く、妻は私が会議のときには海岸でのんびりしている。ある日、私が会議が終わって海岸にゆくと、のんびりとシャンペンを飲んでおり、革靴で背広姿の私に「全く場に合わない」と笑い転げた。しかも、この件はよほど面白かったのか、何度も友人たちに話している。

ベルリンに行った折の話である。非常に大きな学会でドイツのリーダーだった先生が出席されていた。私と妻は並んでそのドイツの学会を支配していた先生の隣である。妻はその先生の大きなお腹が気になるのか、じっと見つめていた。私は悪い予感がしたが時すでに遅しで、彼女は人差し指で彼のお腹を突いていたのだ。驚いて、しんとする室内でその先生は大笑いしていた。その後、妻とその先生は仲良くなってずっと話をしていたが、私は冷や汗でびっしょりだった。だって「突いてみたかったの」と妻は平気だ。どうやら私より器が大きいのだろう。

ヨーロッパ中で講演

イギリスへ大きな製薬会社の招待で行ったことがある。サウス・エセックスのお城のようなホテルに到着すると、執事のような人が部屋に案内してくれる。とてもクラシックな大きな部屋だ。空の花瓶が置いてあって、彼は庭の花を取ってきて活けなさいという。また、猫のぬいぐるみが置いてあって、これは邪魔をして欲しくないときに部屋の外に置くようにと言われた。お茶の時間になってホールに行くと、お茶とお菓子がふんだんに置いてある。時間がゆっくりと流れている。庭に出て驚いた。どこまで行っても庭である。何万坪もあるのだろう。シャクナゲが5メートルくらいの大木になっていた。また大きな林にゆくと、下草は一面のブルーの花園になっている。少し歩くとホテルのゴルフ場だ。いつスタートしてもいいそうだ。これほどのもてなしはさすがに初めてであり、料理の不味いのが帳消しになった。

ベルギーではハーバード大学時代の親友が歓待してくれた。彼はチュニジアの出身だが、奥さんはパリジェンヌの美人である。彼の自宅は手作りの様々な装置で溢れている。色々とその機能を教えてもらったが、中でも彼の作った物干し台は秀逸でたくさんの洗濯物でもあっという間に干せる。彼ら二人で本当に目一杯歓迎してくれたのが嬉しい。

その友人は「セレン（元素）の化学」を開いた化学者である。ある日、大学でセレンの化合物を大量に作っていたが、間違って下水に流してしまう。下流には大きな街があり、町中がセレンの匂いでいっぱいになった。セレンの匂いは硫黄よりもさらに臭い。調査されたが、結局どこから出たかがわからないままで話は終わったと聞いた。

リヨンは多分フランスの中では食事が一番美味しいと思う。三つ星レストランが軒を連ねている。そして、どのレストランでも美味しかった。有名なレストランで食事をいただき、チーズをいただいた。例によって大きなお盆に１００種類くらいのチーズがぎっしりと並んでいる。そのうちの一つをいただいてびっくりした。京都の「すぐき」とそっくりな香りである。こんな風に地球の裏側で同じような漬物が存在するのが嬉しかった。

多いときには年に10回は海外に行った。マイルだけは溜まり、妻の旅費はほとんどマイルで十分だった。おかげでヨーロッパでは行かない国はないほどになった。おそらく招待講演の数は日本でもダントツに多かっただろう。私は基本的には招待されてNOと言ったことは一度もなかった。私の化学を聞いていただくだけで嬉しかったのだ。

ヨーロッパの他にも、メキシコ、中国、台湾、韓国、シンガポール、インドなどに行き、自分の化学を話した。

韓国に行った折の話である。東レでお世話になった大野先生との旅である。いつものように講演をして食事になった。その頃はまだ古い韓国の風習が残っていた時代だ。宮廷料理だそうだが、数えきれないほどの皿数である。さらに私の右側には韓国の服を着た若い女性が立膝で座って世話をしてくれる。もちろん大野先生の横にも美人が座っている。宴もたけなわになった頃に女性が踊り出したが、びっくりしたのは着物を順に脱いでほとんど全裸になった。その後、私の横にいた女性は気分が良くないと言って、別室に行ってしまった。どうしたのかなと思ったが、私はそのままホテルに帰った。そのとき、世話をしてくれた人が言うには、「ああ言うときには必ず別室について行って介抱しないといけなかった」らしい。後の祭りである。

「最終講義」はしたくない

名古屋大学のキャンパスはとても広い。さまざまな樹が植えられている。私は銀杏（ぎんなん）が大好きで、キャンパスの銀杏を拾うのが秋の楽しみだった。といっても樹によって銀杏のサイズが全く違う。超大型はとても珍しく、それを実らせる樹を探し当て、その銀杏は毎年必ず拾っていた。しかし、大学の建物も古くなり、新しい建物の建設が増えてきた。そうした建築ラッシュの煽りを受けて、大型の銀杏を実らせる樹が惜しげもなく切り倒されていった。本当に残念だった。その他にも山桃の樹は知ってる人が少なく、採取するのは私くらいだった。椎（しい）の実（み）の樹も見つけたが、これはほとんど誰も食べないので、文字通り取り放題だった。これもまた実のサイズが樹によって全く異なる。大きな実を選んで拾い、煎ってビールと一緒に食べるのが楽しみだった。

コンサルティングは相変わらず続けていた。ある日、トヨタ自動車が「申し訳ありませんが定年だ」という。そして、「先生の後、どなたか引き続いてやっていただける人を推薦してほしい」と言われた。私見だけれど、と一人の名前を挙げたところ、その人が今もコンサルティングを続けておられる。

その後、年に一度、コンサルタントで定年になった人たちを招待いただく会合が開かれた。しかも「夫婦同伴でおいでください」という。新幹線のグリーン席と東京のホテル一泊分、行き帰りのタクシーのチケットが送られてくる。トヨタの人も入れて20名くらいの集まりだ。わざわざバイオリンやチェロを弾く音楽家を招待し、楽しい2時間近くがあっという間だった。さすがにトヨタだと感心した一晩である。

私は50年もの間、コンサルティングを行っている会社もある。そうなるとその会社の経営者などトップの人がコンサルティングの際のメンバーだったことも多くなる。その会社の昔の様々なデータなどは私の方がよく知っていることもある。ある会社では、その業界で一番大切な化合物を工業的に大規模に作る方法を私のアイデアも含めて編み出し、アジアで最大の非常に大きなプラントを作り上げた。私もそのプラントを見せていただき感動した。仕事冥利に尽きるとはこのことだと思った。

名古屋大学での研究以外の雑用は恐ろしい勢いで増えていた。様々な委員会が毎日のように開かれ、私が委員長を務める会議も10を超え始めた。もちろん大学を良くするためにはこうした委員会は必要だが、私の研究に使う時間が少なくなってきた。

さらには定年が近づいており、今後のことも考えなければならなくなった。私は定年に当たり行う「最終講義」やそれに類する様々なイベントは避けたいと思っていた。つまり、研究の終わりは私にとって人生の終わりと同じであり、私は自分の研究をまだ終わりたくなかったのだ。しかもそのままゆくと、自分の行く末に工学部長やその上の管理職種も見える気がした。

シカゴ大学からの招聘

ちょうどそんなときにシカゴ大学の教授が名古屋大学を訪問し、私にシカゴ大学に移動しないかと言われた。名古屋大学時代にはそれまでにも多くの米国の大学からの招聘があったがほとんど無視していた。しかし、今回は初めて現実的な話として聞こえた。

私は招聘に応えると、その場で返事をした。

しばらくしてシカゴから正式の招聘状が届いた。大学に来て講演し、今後の契約に向けての話をしたいという。そしてシカゴへ旅立った。

シカゴは米国で3番目に大きな都市だ。もっともアメリカらしいと言われている。ビル街の美しさは米国ナンバーワンで、アメリカ人が最も観光に行きたい街として知られている。シカゴに到着して大学が差し向けた車でホテルへ向かった。シカゴで最も高価なホテルを予約してくれていた。翌日、大学に向かった。

シカゴ大学のキャンパスは米国で最も美しい大学キャンパスと言われている。化学教室の人と会い、最近の研究成果を含めた講演を行った。その後、プロボスト（研究担当総長）や総長と会談。その後、教室の主任から今後のスケジュールを聞いた。シカゴ大学は、私の赴任にあたって数億のお金を用意してくれていた。

また研究室や研究に使用する主要な装置、日本からの装置の移動費などを確認した。その頃、私は日本でも結構大きな資金をいただいて研究していたので、その研究を続けるためには装置が必要になる。

その後、私を招聘するために骨を折ってくれた方の自宅を訪問した。ミシガン湖が一望できる素晴らしい高層マンションだ。

こうして米国への移住の準備は滞りなく進んでいった。

日本では私の移住に反対する人が多かったが、私は自分は退官することが本質的に嫌だということを説明して納得いただいた。可能ならば「はなむけの会」を開いてほしいとお願いしていたが、これが実現してヒルトンホテルで１００名を超える参加者が集って開いてくれた。冒頭で野依良治先生が５分のご挨拶の予定のところを小一時間も熱く話して下さり、感激し、涙が出た。本当にありがたいと思うと同時に、米国で成功することがこの声援に応える唯一の道だと思った。

第7章　世界の最先端にいる爽快感　シカゴ大学

シカゴ大学、昼食時の決まり

シカゴ大学に赴任したのは２００２（平成14）年7月である。

まず、シカゴでの住居を探す必要がある。私と家族はミシガン湖が見渡せる高層のマンションを探していた。初めは一目で気にいるところはなかったが、そのうち大学から歩いて15分くらいの場所に高層ビルが見つかった。29階で朝の日の出から夕方の日の入りまで見渡せる部屋だ。その明るさがまず気に入った。３ベッドルームで浴室も３つあり、大方２００坪以上はある。即座に購入することに決めた。購入すると借りるより税制で非常に優遇されると聞いて、その助言に従った。

そこから大学に歩いてゆく。ハイド・パーク（シカゴ大学近くの地区）の街を歩くが、夜はあまり出歩かない方が良いらしい。到着して大学の伝統ある古いクラブで昼食をいただく。昔からの建物で多くの椅子にはノーベル賞を贈られた先生方の名前が入っている。先生方が自分の椅子を作りたいと願っているのがよく理解できる。最初なので背広を着て行ったが、ほとんどの人がスポーツ・シャツである。慌てて帰ってスポーツ・シャツに着替えた。それ以来、背広は着たことがなかった。

化学教室の先生方は昼食時に10名以上座れる大きなテーブルに座ることが決まりになっており、そこではさまざまな情報交換ができる。個人的な話もそうだが、全体で教室そのものをどう発展させるのかなどを話すこともある日本の大学には全くない便利なシステムだと思った。他大学の噂話や、大学院学生ではどの大学の誰が全米で有名になっているかなど日本では耳に入らない情報も交換する。教室が毎週招いていた学者と会うこともできる。自分とは専門の異なる教授との知識の交換はとても重要であった。また、誰かが賞を取るとその場で乾杯して喜び合う。

研究室はとても広く、フード（ドラフトともいうもので空気を遮断して実験ができる）も15基揃っている。数名が一つのフードを共通で使っていた日本とは全く異なる。人口密度は日本の大学の５分の１から10分の１程度である。教授室も名古屋大学と比べると３倍くらいの広さだ。教授室の面積は日本の大学では教官の数を元に面積が割り当てられるが、米国ではその教官の元で何人の学生が研究しているかで面積は決められる。日本の悪平等がよくわかる。

名古屋大学のときの学生数名がシカゴ大学に籍を移してきてくれたが、新大学院生は年度が変わると入ってくる予定だったため、最初は試薬の購入や、ドライアイス、液体窒素、アルゴン（気体）のパイプラインなどの様子がわかるまでしばらく時間がかかった。

研究資金申請のコツ

米国では大学院に入った学生は自分の気に入った先生の教授室を次々と訪問して、どんな研究をするのかを聞き、グループに参加するかどうかを決める。先生の方は自分の持っている資金で彼らを雇えるかどうかを判断する。

日本では人気のある講座は抽選をすることもあるが、そんなことは考えられないのがアメリカだ。当時、学生には一人につき月30万円以上は支払うのである。これが彼ら学生の生活費になる。日本ではかなりの学生がバイトをしながら大学院での研究を行うが、シカゴでは教官にお金がなければ彼らを雇うことは不可能で、学生もお金のある教授を値踏みする。幸い私はシカゴ大学からスタート資金をいただいていたので、かなり自由に雇えることになった。

しかし、いくらスタート資金があっても米国のＮＩＨ（医学関係の財団）やＮＳＦ（科学一般の財団）等の資金は絶対に必要になる。早速、研究資金の申請を始めた。特にＮＩＨは非常に大切と聞いたので、かなり時間を使って私なりにベストの申請書を作り、提出した。数カ月して落選したことがわかった。かなりショックだ。日本では問題ないのにアメリカではダメだったのだ。

そこで、ＮＩＨのプログラム・ディレクターに電話をして、どういう作戦を立てたらよいかを聞いたところ、彼からある本を買って読むように勧められた。一冊10万円近いその本（非売品）を購入して勉強した。そこでわかったことは完全な作戦負けだったということだ。米国では申請書に自分がすでに発表した論文の内容を書くことは意味がないのだ。なぜなら、それはすでに終わっていることで、今後の研究ではないからだ。もし、過去の論文について書く場合であっても全体の10分の１くらいにとどめておく必要があるそうだ。これは日本と全く異なる。日本では過去の業績をできるだけ詳しく書く。一方、アメリカではこれからしたい自分の夢やプランを主に書くことが要求される。

また、言葉遣いも大切で、ネガティブな言葉を決して入れてはならないそうで、「こうなるはずだ」という文章は「こうなると予想される」よりも遥かによい表現方法なのだそうだ。そのほかにもかなり細々と重要なポイントが書かれていて、私にはとても参考になった。しかし基本は、申請書の8割以上を使って何をしたいのかを論理を大切にしながら書くことになる。その夢にこそ資金をあげたいと審査官に思ってもらわないと負けなのだ。

以上の問題に十分に配慮して再度申請させていただいた。日本と違い、申請の結果は採点されて返ってくる。100点満点での採点でびっくりした。日本では申請が認められても認められなくても、その詳細な結果は決して教えてくれないからだ。

最初の試みでは3分の1以下の惨憺たる結果だったが、2回目の申請ではかなり良くなり、その後はどんどんと採点結果が上がり、最終的には申請者全体のほとんどトップの成績にまで向上した。その結果、スタート資金がなくなっても研究室を続けることの出来る体制ができた。

学生もいろいろ

講義の面では学生が私の下手な英語を聴いてくれるか心配だったが、内容が斬新なら必ずついてきてくれることがわかった。講義の後に行われる学生による評価も上位の成績になり、問題がなくなった。最新の研究成果の講義は、聴いている学生がワクワクするような話し方が要求される。面白くない講義だと学生は遠慮なく講義室から出てゆく。日本では考えられない景色だ。

学生による講義の採点結果はすぐに教授にも教えてくれるが、それを見ると結構、学生は思いやりがあることに気づいた。私の場合だと「英語は上手ではないけれどそこが可愛い」と書いてあって思わず苦笑した。

日本でも講義の事後評価はかなり定着しているが、学生が本気で採点していない気がする。採点することでその大学の講義がよくなると理解しておらず、制度だからと簡単に考えている節がある。

ハーバード大ですごい成果を出している先生の中には、この講義の採点が低い点になるよう学生に頼んでいた人もいた。彼は講義によって研究の時間をとられるのが本当に嫌だったのだ。ここまでくると如何かと思うがそういう先生もいた。評価が低く講義をしなくても、潤沢な研究費を自分で用意できるなら大学としては問題ない。

シカゴ大学での研究では名古屋からついてきてくれた女性の学生が素晴らしく花開いて、圧倒的なほど多くの論文を書いてくれた。名古屋大学では剣道部に所属していたとかで体力もあり、毎日3時間くらいしか寝ずに研究を進めてくれる。朝から晩まで実験している彼女はあっという間に教室で話題になって、どうしたらそんな学生になるのかと同僚の先生から尋ねられたが、私の教育というより本人の覚悟だと思うのでなんとも答えられない。

しかし、日本人にはときどきこういうすごい人が登場するのは事実だ。彼女は様々な新しい側面を開いてくれて、毎週行われる私への研究相談でも他の研究者の2倍から3倍の量であった。彼女は早々と学位を取って東北大学に就職し、さらに現在は分子科学研究所で活躍している。最近では九州大学に招かれたそうだ。こんなすごい人が学生として自分の研究室に入ってくるのは、教師冥利に尽きる幸せである。

それとは逆の例もある。新入生で私の研究室に参加したいという女性がいた。話をして、研究に対する十分な思いを感じたのでグループに入っていただいた。１年ほどして、彼女の研究結果がどうも良すぎる気がした。これは私の第六感と言っていい。

そこで他の学生に同じ実験をしてもらうと、やはり彼女の結果は異常だった。何度も彼女と話はしたが、捏造はないと断言している。しかし私やはりおかしいと思い、彼女を解雇し、彼女の実験結果を全て破棄した。彼女はその後、他の大学に移ったと聞いた。滅多にないとはいえ、そういう経験は過去に何回かはあった。これは良い研究成果が出ないと将来が開かれないという学生の誤解がもとにある。日本人には比較的少ない例だ。

しかし、研究代表者にとっては、これは命取りになる出来事なのだ。以前、シャープレスとの共同研究を行ったが中断した。それは彼の学生のやってはいけない虚偽結果の報告が見つかったからである。シャープレスは直ちに自分の発表が間違いであったと論文で発表し、彼のその率直さに感動した。

我が国でも名古屋大学の教授が学生の虚偽結果を報告してしまった事件が起きた。その教授は率直に非を認め、すぐに訂正の処置をとった。基本的にはこれで幕引きになるが、その教授の場合、全ての研究費を回収され、３年間は研究費の申請を禁じられた。

しかし、教授が学生の虚偽報告の責任を取るのはおかしい。これは完全に行き過ぎた処置で執行部のやりすぎだ。リスクを嫌う日本の社会でしかない処置だ。企業で不祥事があった場合に社長が辞職するのと同じで、こんな風習は日本以外では見られない。しかも大学で学生は、企業人とは違ってかなりの自由度が与えられている。

この処置でその教授は向こう数年間、研究ができなくなった。もし、他の教授にこうした学生による虚偽報告の事例が出た場合、彼が名古屋の処遇を知っていたら率直に訂正せずにうやむやにしてしまう。その方が遥かに国益に反するのではないだろうか。

世界潮流の最先端の感覚

職場を移動したり研究テーマを変えるとその後、数年は非常に大きな仕事ができる。全く新しい環境になって、なんとかして苦境を脱出しなければと、自分で自分を追い立てているのかもしれない。逆に、職場移動がないと環境に安心してしまい、大きな仕事ができにくい。なんとなく漫然と時間が流れることもある。

これは私だけの体験かもわからないが、研究テーマを5年ごとに変えておられた向山光昭先生も、新しいプロジェクトを開始後すぐに大きな仕事をされていた。向山先生は研究テーマをどう変えるかを講演できちんと話しておられた。そうやって自分を追い込まれたのだろう。

今から考えるとルイス酸やブレンステッド酸の仕事でも、この頃が一番良いものになった。何をしても必ずよい結果がついてくるのだと自分で自分を信じていた時期だ。自分が世界を切り拓くという自負心が自分を仕事に駆り立てていた。こんな時期はそう長続きするものではない。シカゴの時代は自分でも核になる仕事を次々と仕上げて行ったと感じる。

また、自分が世界の潮流の最先端にいるのだという爽快感も次の努力を生む。この感覚はその後、中部大学でペプチドの研究を展開し始めて、また戻ってきた。

研究の成果が出始めると米国の主要大学から相次いで講演依頼が届いた。米国はそうした評判に恐ろしく敏感だ。いつもスターを探しているのだ。

この間、米国の奥行きの深さがよくわかった。招聘が来たのは一流大学だけだが、講演依頼は数十の大学に広がったのだ。おかげでユナイテッドのマイルが溜まる一方になった。米国内の時差は大したことはないが、いくつかの旅行で時差が重なると結構大変で、元の時間帯になかなか体が戻らない。日本ではなかった問題である。メジャー・リーグの野球選手は大変だろうなと思う。

シカゴ大学には私の分野である化学の著名な学者を毎週招待して、講演いただくことになっていた。プログラムによっては週に2回から3回の講演を行っていただく場合もある。旅費の関係もあり、ほとんどは米国内の研究者であったが、ヨーロッパや日本の学者を呼ぶ場合もある。

招待された学者は朝から夕方の講演前まで、30分から1時間刻みで教室内の教官と面会し、研究での討論をしていただくことになっている。講演後はその先生と分野の近い数名の先生とでダウンタウンでの食事会である。面白いことにその際の費用は教室が負担することになっており、何人参加しても上限500ドルくらいに制限されている。面白い先生の場合には10名近くの教授が参加する場合もある。

学者側からすれば招待されるのは名誉であるが、行くと1日で疲労困憊してしまう。教室の教官は年に何十回も繰り返される講演で、世界の化学分野の動向を対面でしっかりと把握することができる。残念だが、日本ではこのような講演は稀である。そのため、日本の大学では時代遅れになっている先生も多い。

また、米国では理系では稀だが文系の研究者の研究を地元紙が紹介してくれたりする。

たとえば経済学の教授が全く新しい切り口で新しい概念を発表すると、シカゴの新聞が実に詳細にその内容を説明してくれるのだ。それによって地域全体でその先生の研究を支援する雰囲気になり、寄付金が集まったりするのである。これも日本では見かけない風景だ。

アメリカ国民が、理系はもとより文系の新しい概念が社会を変えてしまうことをよく理解しているからだろう。

ノーベル賞の報道は地元紙だけ

アメリカの大学は多くのノーベル賞受賞者を輩出している。特にシカゴ大学は私がいた当時、米国の大学ランキングで10位くらいだったが、ノーベル賞の受賞者や関係者の数はトップクラスである。そのためか、シカゴ大学からノーベル賞受賞者が出ても、シカゴ・トリビューンという地元の新聞に10センチくらいの記事が出るだけだ。

たとえばシカゴ大学の経営学の教室は、教授会を開くといつも数名のノーベル賞受賞者が出席するという。ノーベル賞が当たり前になっているのだ。この状況はハーバード大学でも同じであり、ノーベル賞で日本のような大騒ぎはしない。

一方で、大学の総長は日常的に様々な機会を作って大学と企業を交流させている。大学の先生と企業成功者を総長宿舎に招待し（もちろん大学への寄付を促すのが本音であるが）、交流を促しているのである。

私がシカゴ大学を辞職してから新しい総長が赴任したが、彼は大学内を徹底的に綺麗に仕上げていた。なにしろ大学内の道路の整備、樹木や花の植樹、古い建物を処分して新しいモダンなものを建設と徹底的に改革をしたので、何千億円もかかったそうだ。

日本の大学の総長にはそんな権限は全くない。恐らくそういうことは事務官の誰かが行うことになるのだろうが、それでは大所からの整備は不可能だろう。アメリカでは、必要に応じて総長が構成員全員に「なぜ大改革が必要か」を説明する詳細な手紙を出す。

私がシカゴ大学を離れた後に再度訪れると、大学は以前より遥かに美しくなっていた。そうすることは大学のランキングに反映されるし、入学希望の学部学生への大きなアピールになる。シカゴ大のランキングが上がって5位（2024年版QS世界大学ランキング）になったのもこのためである。

米国の大学のようにノーベル賞を次々と輩出するには何か秘訣があるのだろうか。私は、その本当の秘密は博士課程修了者の処遇にあると思う。これは米国やヨーロッパでは当たり前のことだが、新人の若い研究者の育て方が日本とは異なる。研究のテーマにおいては完全な放任主義なのである。海外では若い研究者は完全に自由に自分の思いのまま研究を始めることができる。これが金の卵の産ませ方である。

ところが日本では講座制度のため、こうした若い研究者は教授のもとで研究を始めなければならない。「教授のもとで」が問題で、そうなると教授の考えるプロジェクトをやり始めることになってしまう。それから数十年経ってやっと独立しても、行き着くところ、若い頃のような全く新しい斬新なアイデアは出ない。プロジェクトに別の人の影響があると、それは決して新しくはならない。

研究分野の改変に数十年かかった昔は、このようなやり方でも大きな成果が出た。そのために日本もノーベル賞受賞者を輩出できた。しかし、研究分野の改変が数年くらいに縮まってしまった現在では、若者を育てようとはしない悠長な日本式の徒弟制度は捨てなければならないのだ。

もう一つ重要なのは教育法である。日本の教育ではクラス全員が同じことを同じペースで勉強してゆく。米国では一人ひとり、その人にあった教育を受けている。いわば英才教育が当たり前で、人と違った教育を受けても友達とは普通に付き合って行ける社会である。私は「破壊的イノベーション」を起こすには「個人主義の出過ぎた杭」が必要だと信じている。鼻持ちならないほどの若者が必要なのだ。

シカゴ大学のあるイリノイ州では地元高校の天才と言われている生徒たちを集め、ホテルで数日間ノーベル賞級の科学者夫妻と寝食を共にさせるイベントを行う財団がある。高校生たちはここで確実に何かを学ぶことができるだろう。

マイナス20度の世界

シカゴの冬は、とんでもない寒さである。シカゴ大学を最初に訪問したのは初冬の頃で、しかも稀に見る暖冬の年だった。もし、本当の寒さを知ってたら、シカゴには行かなかったかもしれないと思うほどだ。マイナス20度は普通の寒い日で、ひどく寒くなるとマイナス30度までいってしまう。こうなると外出禁止になる。少し歩くだけで、耳が凍傷になるほどで、駐車した車を探して歩き回った人が、耳が落ちたと聞く。

大学までは15分くらいかかるので、本当に寒い日は車でゆくか、あるいは行かないことにしていたが、マイナス20度くらいなら歩いてゆく。涙が凍るほどだ。雪が積もるとさらにひどくなる。大学に到着するまで数回は派手に転倒してしまう。一方、雪が降ると、それは美しい景色に一変する。

また、年に何度かはダイヤモンドダストを楽しむことができた。

アパートの暖房はすべての部屋にスチームが通っており、年中25度くらいの温度に保っている。アパート全部に暖房や冷房が行き届いており、年中薄着で過ごすことが可能だ。きっと燃料費は嵩むだろうと思っていたが、実際には月に５０００円くらいで済む。地下のボイラーの重油が安いせいだろう。

寒い日に妻がダウンタウンのジムでのエクササイズの催しに出かけた。しばらくして、私に病院からの電話だ。今ダウンタウンの病院に妻がいるのでできるだけ早くくるようにと言われた。びっくりしてノースウェスタン大学の病院に駆けつけた。緊急室のベッドで彼女を発見した。なにやら運動した後、外に出たら、寒くて倒れたらしい。たまたま通りかかった警官が救急車を呼び、きちんと脈を取り、いつでも点滴できる状態にして救急車を待ってくれたという。その後、何時間もかかっての詳細すぎる検査が終わり、何もなかったことになって終了である。やはりマイナス20度は怖い。

数週間してその請求書がきた。１００万円以上の請求書だが、私たちは保険に入っていたのでそれほどでもない。確かに考えられるすべての検査をしてくれたようである。ヨウ素を飲んでエクササイズをして行う心臓の検査も入っている。保険で数十万の出費で済んだが、救急車の費用は10万円近い。日本ならタダなのにと国の違いを思い知らされた。

病院のシステムも全く違う。第一に病院が空いている。日本のように人が列をなしている風景は全くない。また、診察はかなり念入りにやってくれて、場合によっては1時間くらいのときもある。日本のように5分で終わることはないのだ。

これは歯医者さんでも同じで、一人1時間くらいはかかるのが普通だ。インプラントもシカゴ滞在時にしてもらったが、それぞれの医療段階で専門の医者が全て違い、何人もの先生を渡り歩く場合も多い。その代わり、徹底的に直してくれるのはありがたかった。

その半面、黒人は保険に入っていない人が多く、病気になっても病院にはいかない。自分で必要な薬を探して、飲んで終わりにするのが普通なのだそうだ。診察しないで薬の処方箋を書く闇の医者が横行している。しかも、そういう医者はメキシコに住んでいるので、警官が逮捕できないそうだ。この状況を直すのは難しいだろうと思う。黒人はほとんどがある地域に集住しており、白人との接触はほとんどない。その街だけで全ての処置を行ってしまい、白人が手を出すことが難しいのが現状だ。日本社会のように全員が基本的に平等な社会では考えられない仕組みだ。

驚いたことに人間ドックのシステムはない。皆、病気になったら病院にゆくが、人間ドックのように徹底的に検査して「病気を探す」制度はない。日本のお医者さんも人間ドックにはかからない人が非常に多いと聞くが、国民性の違いだろうか、あるいは人間ドックのシステムが日本に紹介されたとき、この制度を広めるために政府がなんらかの手を打ったのかもわからない。保険制度側からみると病気がなるべく軽いうちに病院に来てもらう方が、保険料の出費は少なくて済むのだ。人間ドックはあまりに詳しくて最初はいやだったが、すべての項目を見るとその良さがわかってきた。

アル・カポネと階級差

当時、私の娘はオレゴン州にいて、アメリカ人と結婚して3人の子供を育てていた。彼女はコロンビア大学で建築の学位を取ったので、必要なら建築の仕事をすることができたが、子育ての方が面白そうだと思ったのだろう。

私がシカゴに来たことで少し彼らとの距離が縮まり、娘は家族を連れて遊びにくるようになった。私は孫がそれほど特に可愛いとは思っていなかったが、娘の一家と湖岸でバーベキューなどを楽しむのは良いものだった。だから最初のうちはカリフォルニアからシカゴまでの旅費くらいは出していた。が、ある日、義理の息子の年収を聞いてやめた。心臓外科医だったので当たり前だが、彼の給与は名古屋大学にいたときよりは少し潤沢になった私の給与の3倍以上はあったのだ。世の中は不平等にできている。

彼はその潤沢な資金で子供たち3人に毎年のように、世界中の様々な場所に一人旅をさせている。お金がなければできないが、お金があってもそれをしない人もいる。

湖岸は非常に綺麗で、泳ぐ人もいるが水は相当に冷たい。湖岸線はずっと続くので、場所によっては犬だけのものになっていて、そこでは人は泳げない。犬を連れた人が楽しそうに使っていた。冬になると氷が漂着して諏訪湖の御神渡(おみわた)りのように盛り上がるが、スケールはとても大きい。ミシガン湖は琵琶湖の86倍はある。結構大きな魚が獲れるが、誰も食べない。湖岸沿いは昔は工業地帯だったそうで、昔、何を流していたかよくわからないそうだ。

一昔前はシカゴ・ギャングは湖に死体を捨てていたと聞く。セメント・シューズというギャングの処刑方法があり、セメントの中に足を突っ込まれ、固くなったら、沖に行って捨てられたそうで、水に潜るとその死体がゆらゆらしているという気味の悪い話もある。

自宅のすぐ横にはゴルフ場があった。六甲山（兵庫県神戸市）にある日本最古のゴルフ場・神戸ゴルフ倶楽部より歴史は古いそうだ。

しかし、現在では大衆化しており、プレー代は15ドルだった。カートはなく、皆、自分でクラブを持って回らないといけない。私たちは手押しの車に載せてプレーした。ある日、17番ホールでパターをしているときに近くで銃声がして、後はパトカーの音だけになった。大急ぎでプレーを終えて早々と退出した。おかげでダブルボギー（失点2）になってしまった。

そのゴルフ場からそう離れていないところには古い大きなバーがある。ゴルフの後、よくそこでブルームーン（ビール）とハンバーグを頼んだ。後でわかったのは、そのバーはアル・カポネ（シカゴを拠点にしたギャング）のいきつけの店だったそうだ。アル・カポネの昔の住居も観光スポットになっている。銃弾の跡がたくさん残っていて歴史を感じる。

シカゴほどゴルフ好きが気に入る街はないだろう。1時間圏内に100くらいのパブリックのゴルフ場がある。プライベートはもっと多いそうだ。飛行機でシカゴ空港に近づくときに異常にゴルフ場が多いことに気づくだろう。

シカゴではプレー・フィーが50～60ドルを超えると黒人の客はほぼゼロになる。また、アイスホッケーの試合にもやはり黒人の客はいない。アイスホッケーの場合はプレイヤーにも黒人はいない。これほどお金のかかるスポーツはないからだと聞いた。人種差別は無くなっても、給与の差別は残っている。

私がよく行く中程度のゴルフ場は、隣にポロの競技場があった。ある日、馬が逃げてきて、ゴルフ場に入り込んだ。大騒ぎになり、グリーンに大きな足跡が残った。グリーンに5センチくらいの深さの穴がずっと続いて、その後、1カ月から2カ月は修繕のためプレーができなかった。ポロのために集まる人たちは驚くほど金持ちだ。車の種類が全く違ってベントレーやロールスロイスばかりなのだ。しかも、馬を載せるための車をベントレーにつけている。

米国ではこうした階級差は露骨で明瞭だ。アイスホッケー場にある車の種類も普通の駐車場とは別世界だった。驚いたことにトヨタのレクサスだけの駐車場があった。レクサスは米国では確固とした地位を獲得している。

「世界で成功した１００名の女性」

シカゴの寿司屋のカウンターで妻と二人で食事をしていたとき、話しかけてこられた日本人の女性がいた。話せば話すほど面白そうな人で、すっかり仲良くなってしまった。彼女はシカゴで有名なステーキハウスのオーナーで、ダウンタウンのお店は80席、郊外のお店は２６０席でそれぞれ1日で３回転するほどの繁盛ぶりだった。ＳＫＤ（松竹歌劇団）のダンサーだった彼女は10代で単身米国に来て店を開き、それが大きくなって現在に至ったのだそうだ。こういう日本人の出世話はたくさん聞いたが、彼女はその頃のニューズウイーク「世界で成功した１００名の女性」にも選ばれているということだった。少し話せば話題の豊富さに驚く。彼女はまさに話題の玉手箱だった。

彼女のお店は米国では大変有名だったので、たくさんの有名人が訪れるそうだ。たとえば、ミック・ジャガー（イギリスのロックミュージシャン）は来店時、汚い服を着ていたという。そこで彼女が「そんな汚い人はお店に入れない」と言ったところ、横にいたマネージャが大笑いしたそうだ。その後、ミック・ジャガーは彼女が気に入ったのか、シカゴで公演するたびに彼女をリムジン付きで招待してくれたそうだ。またフリオ・イグレシアス（スペインの歌手）がお店で即興で歌ったとき、彼のことを知らなかった彼女は「下手な歌はやめてほしい」と本人に言ったそうだ。さらに最近ではレディー・ガガ（アメリカのシンガーソングライター）が予約を取ろうとしたところ「そんな名前の人は知らない」と予約を取らせなかった。このほかにも、彼女の武勇伝は尽きないのだ。

私たち夫婦は、何度も彼女のお店に行ってステーキをいただいたが、料理にはさまざまな工夫をしており、なるほどこれならアメリカ人の胃袋を掴むと感じた。また、お店の鉄板はこの種のお店としては異例の厚さで、それも料理の質を良くしているのだろう。彼女とは段々と親しくなって、親戚並みのおつきあいをしていただいき、今もシカゴを訪ねると必ずお会いする。

彼女を通して出会った彼女の従兄弟はさらにすごい人だ。東京でソープランドを50軒近く経営していた。しかもお店は全部自社ビルで健全経営をモットーにされている。その彼が彼女を訪ねてシカゴにこられた話が面白い。彼は旅行が終わって日本に帰るときにたくさんの土産を買わないといけないと思い、１億円の札束を持ってきた。税関で彼のアタッシュケースが見咎められて係官に説明をさせられ「もちろん全部キャッシュだ」と言ったところ、係官は肩をすくめて通れと言ったという。肝の太さに驚く。

その後、彼とは日本に帰るたびにお会いして食事を何度もさせていただいた。ソープランドから、ボクシングジム、また宝石商と仕事は多岐にわたっておられる。

シカゴ大学の附属研究所教授だった日本人の先生は、上皇陛下のご学友で、奥様も含めて二人で定期的に皇居にゆかれていた。その彼が自宅に我々を招いてくれた。森の中の一軒家のような雰囲気の素晴らしい家である。ご主人が亡くなられてからも、奥様とはゴルフをご一緒させていただいている。ご主人がおられない分、奥様は以前よりさらに活発になられた。私に万一のことがあっても、妻にはそうあって欲しいといつも言っている。

私はシカゴで沢山の人とお会いした。もし、日本にいたら、お会いできなかった人ばかりである。そして彼らは例外なく個性が強く、しっかりした自分を持っておられる。日本で出会う日本人と、海外で出会う日本人ははっきりと違いがある。日本の社会の組み立てが海外と違い、海外に出ると日本社会の仕組みの外になって、別の人格が醸成されるのかもわからない。

街中の黒人が泣いていた

シカゴは食の街とは言えないが、それでも個性的なレストランが多い。「スピアッジャ」というイタリア料理店は中でも気に入っていた。バラク・オバマ元米大統領が大統領就任前にも就任後にも何度も足を運んだと聞く。一つひとつがなかなかの味でしばらくするとまた行きたくなる店だ。以前には、白トリュフのコースがあり、最後のアイスクリームも含めてすべての料理に白トリュフが使われていた。これが私たちには一番気に入った逸品となる。また、「Coco Pazzo」というイタリア料理店も少し格が落ちるが気に入りのお店だ。そこのマネージャーのマルコと仲良くなり、行くと彼が全てを差配して料理と飲み物を組み合わせて出してくれる。最初のビールから、白と赤のワインの選定まで、すっかり任せて、私たちは楽しむことに専念できた。

シカゴには中華街がある。結構大きくて、歩くだけでも楽しい。私たち夫婦は中華料理が好きで、たびたび行ったものだ。ある日、シカゴ大学教授の少し大きな会合があり、中華街の店に15人くらいが集まった。そのうちの一人が中国人の教授で、彼がオーダーを全てやってくれた。食事が始まって、私は心底びっくりした。以前と味が全く違う。こんなことがあって良いのかとさえ思った。今まで中華街で自分がいただいていた料理はなんだったのだろうかと感じたのである。それ以来、中華街にゆくのはやめた。

それでも中華料理が大好きなことは違いがない。そこで、中華が食べたいときには飛行機でトロントにゆくことにした。以前、香港がイギリスから中国に返還されたときに、多くのシェフがバンクーバーとトロントに移住したため、この二つの町の中華は絶品と聞いていた。飛行機に乗って中華を食べにゆくのは少し大袈裟だが、それなりの良さはあるだろうと思った。そしてその通りだった。トロントの中華はシカゴとは比べ物にならないほどの素晴らしさだった。特に一晩泊まって翌日に頂く朝粥の素晴らしさは世界一だと思う。

オバマ大統領が誕生したのは、私のシカゴ時代と重なる。最初にシカゴ大学のあるハイドパークの街を歩いたとき、時折、オバマの名前を立て看板で見受けた。オバマさんはシカゴ大学で憲法学を教えていたことがある。そのときは彼が大統領になるなど夢にも思わなかったが、その後、とんとん拍子に駆け上がっていった。オバマさんが大統領になったときは街中の黒人が泣いていたのを思い出す。

オバマさんは私のアパートの近くに住んでいた。しかし大統領になったのと同時にオバマ宅の近くには警官が常時詰めているようになった。彼が在宅しているときには3ブロック以内までが警戒の対象になっていた。ある日、バスに乗ってダウンタウンにゆこうとすると、突然バスが停められた。どうやら、オバマさんの移動と重なったらしい。かなり長い時間、バスの中で過ごしたが、乗客は誰も文句を言わない。黙って、じっと待っているのだ。もしかして、これは日本より行儀が良いかもしれないと感じた。日本では無理を承知で文句を言う人が結構いるが、アメリカでは理由がわかっているとそれは見受けない。その代わり、筋の通った文句は大声で言う。これも国民性の違いだろう。その後、いつの間にか、シカゴ大学の電話帳からもオバマさんの名前は消えていた。

シカゴ大学に赴任した2002年に私は紫綬褒章をいただいた。これまでに様々な賞をいただいたが、印象に残るものである。賞をいただくのは登山のハーケンのようなもので、現在の位置から下へ落ちないためのものであると感じる。そう考えると時折、様々な賞をとることはそれほど悪いことではないと思う。

紫綬褒章受章時は浅丘ルリ子さんとご一緒した。皇居の長い廊下を妻と私とルリ子さんが並んで歩いた。別の賞を受賞されたとてもたくさんの人たちが私たちを見かけて手を振ってくれた。ルリ子さんが手を振って挨拶されている。隣の妻もつられて手を振っているのがとてもおかしかった。

また、文化功労者（2018年）として顕彰していただいた折のことだが、顕彰式のあとのお茶会の間、妻は別室で待機させられた。そこでは安物のお茶がポットに入っているだけだったという。妻はおかしいのではないかと文科副大臣の女性に言ったらしいが、ここは宮内庁の管轄で文科省は口を挟めないとの答えだった。妻はこれにまだ怒っている。

私たちがシカゴにいる間にたくさんの人がシカゴを訪問してくれた。妻の友人たちが大挙して訪ねてくれたこともあった。その友人たちを連れて、森の中のようなシカゴ大学の美しいキャンパスを案内して回ったが、彼女たちにとってアメリカの大学はよほど珍しかったのか楽しんでもらったと思う。

「いつでもお呼びがあれば」

シカゴでは、多くの人が冬にメキシコやフロリダにゆく。私も一度行ってみたいものだと思い、寒い季節を選んでメキシコに行った。メキシコのカンクン（リゾート都市）である。カンクンのホテルでは手にマークをつけてもらい、食事やゴルフなどで全てお金を払わなくていい（後払いも要らずすべて無料だ）。たいへん自由な感じでお金のことを考えずにのんびりできる。好きなときにゴルフをしたり、遊技場で遊ぶこともできる。仕事でもメキシコに招かれたことがあったが、そのときも素晴らしいホテルで、食事も豆を煮た皿がとても美味しかった。後で、その豆は蟻の卵だと聞いた。先に教えて欲しかった。

フロリダにも行ったが、ゴルフ場のホール毎に一つずつ池があり、そこに必ず大きなワニがいて、少し怖い。走ると結構速いらしい。ボールがワニのそばまで行ったときには、さすがに拾えなかった。

東海岸の大学が講演に招いてくれたことがあった。ちょうどカナダにもゆく必要があり、折角なので紅葉の季節と合わせた。カナダからボストンまでレンタカーで旅行したのだ。その間のローレンシャン街道（メープル街道）はずっと目も覚めるような素晴らしい紅葉の連続で、日本の紅葉とは異なるサイズに感動した。半日紅葉ばかりで、妻は一生分の紅葉を見たと言っていた。

カナダからアメリカへの再入国は簡単な小屋があるだけで、ろくに調べもせずに通してくれた。また、国境はその部分だけ木が切られて、幅数十メートルの長いベルト地帯になっていた。日本では見かけない風景だった。

日本には定期的に帰国していた。その度に大きなトランクに食品を一杯詰めてアメリカに帰って行った。段々とアメリカに持ち込むことのできる食品のルールがわかり始めた。肉は全てダメで、税関の係員が漢字の「肉」という字だけはよく知っており、その字が目に入ると全て持ち込み不可となる。

ほとんどの魚は問題なかった。川魚はダメだが、海の魚は問題ない。海はアメリカも日本もつながっているが、川はつながっていないという理屈だ。よくわからないがそのルールに従って持ち込んだ。フグの季節になると、身欠(みが)いてもらったフグを持ち込む。フグは0度くらいで1日から2日寝かした方が美味しいので、日本からの旅行時間はちょうどフグを寝かす時間になった。

日本に帰国しているときは、寿司や居酒屋など和食を中心にいただいた。ある日、友人の先生と食事をしたときに「いつ日本に帰ってくるのか」と聞かれた。私たち夫婦はそろそろ米国の食事に飽きていたので「いつでもお呼びがあれば帰りますよ」と答えた。先生はびっくりして、「それなら中部大学に来てください」と言われた。

それが始まりだった。中部大学に呼ばれて、理事長や学長とお会いし、様々な点を詰めた。とりあえず客員教授として大学に参加することになった。

日本に帰ることになると、アパートを売却しなければならない。どうなるか少し心配だったが、思ったより早くに売却に成功した。なんと購入した金額とほぼ同額で売却できたのだ。何か得をしたような感じだった。売却したお金は銀行に預けて、いつでも日本に帰ることができるようになった。車も処分した。もちろん大学にはリタイアを申し出たのだが、リタイアすると1年分の給与を別にいただくことができた。

ただし、中部大学の教授になるには私なりの条件があった。自分が大学の荷物になるのでは私の気持ちが許さない。自分の給料分は自分でなんとかしたいと考えていた。ＪＳＰＳ（日本学術振興会）の基盤研究Ｓという資金がいただければ、その30％のオーバーヘッド（研究資金の外枠で助成される一般管理費）で私の給料は十分補填できる。この資金の申請が受理されれば大学に正式に勤めることにするという条件を自分で作った。幸いなことに資金申請は受理され、私は晴れて２０１１（平成23）年７月、中部大学の教授になった。

私の小さな矜持である。

第8章

創造とは何か　中部大学

美しい化学と貢献できる研究

中部大学での生活にも、まず住まいと考えた。大学のある春日井市か名古屋市で見つけることにしたが、妻は名古屋市内がいいという。そこで大学からは少し遠くなるが名古屋市内を探し、名古屋駅近くが気に入って住居を決めた。大学までは車で小一時間かかるのが難点だが、仕方ない。こうして名古屋での研究生活が始まった。

私は中部大学ではそれまでと異なる「化学」に踏み出した。本書のはじめにも述べたが、2010年代に入り70代をはじめる頃になって、人に貢献できる研究にギアシフトしたのである。

私は「美しい化学」を研究することが生涯の目標であった。

編集者から、「先生の言われる美しい化学という言葉で、美しいとは何が美しいのですか」と尋ねられた。とてもいい質問でかなり考えた。

美しいには2種類ある。動的な美しさと、静的な美しさである。たとえば野球のバッターが美しいホームランを打つと、これは動的な美しさである。彼のスイングが美しいと表現している。一方、美しい女優さんはじっと座っているだけで、絵になるという。これは静的な美しさである。普通は両者を併せ持つことはとても難しいが、米国で活躍する大谷翔平選手は併せ持っている稀有な存在だろう。

化学では作った化合物が美しいときに、美しい化学と表現する。素晴らしい対称性で思わず魅入ることがある。これは静的な美しさだろう。私の場合には、反応が今まで人ができないと思っていたことを実現して、それがこれまで誰も考えなかった直線的な化学を生み出すことが好きで、これは動的な美しさに入れてもいいだろう。

私は以前から美しいものが好きで、それで中学生のときに園芸に走ったこともあったが、科学で美しい花のようなものを実現したかった。花は静的な美しさであるが、化学では反応の動きやそれから作られるものの美しさが大好きである。

これは野球の美しいスイングとよく似ており、あまり力を入れずに大きなホームランが打てることは本当に美しいと思う。しかも化学では、化学がわかっていない人には理解できない美しさであって、へそ曲がりな私は皆にわからない美しさにとても満足していたのだ。

化学ではいろんな反応に出会う。自分が作る反応にも出会うわけだが、私はそれに感動する。化学が作ろうとする、自然が作ろうとしている摂理に感動するのである。

しかもそれが美しい。無駄がない。それにまた感動する。

たとえばペプチド合成のある反応を作り上げていくためには、これまでは10工程必要だった。それを私は1工程でできるようにした。できてみたら「なるほどな」というものだ。余分なもの、不必要なものがない反応なのである。自然なのだ。

「美しい科学」を生涯の目標にしていた私は、新しい概念を創作することや、新しい現象を発見することだけに拘り、美しくないものや、退屈するものは無意識に自分から遠ざけ、自分の研究の範囲から除外していった。感動するほどの化学の新しい切り口を探すことこそ、自分に課せられた役割だと自分で思い込んでいた。この自分だけの独りよがりな思い込みのお陰で約半世紀にわたり、数年ごとに新しい化学の切り口を発表し続けることができた。今から考えるとその間ずっと私は化学と対話し続けていたようだ。

言い換えれば研究者としての最初の50年は「純正研究」だけに興味を持っていた。面白い学理や現象の発見、その原理の解明など自分の夢を実現するためだけの研究である。純粋に自分の思いつくままに創造の翼を広げ、思うがままに飛翔していた。お金に関係する課題は自分には向かないと勝手に思い込んでいた。

　純正研究をする間も、前に述べてきたように研究費の貧しさをカバーするために始めた企業のコンサルティングの仕事は続けていた。企業のプロジェクトにも私が関わることのできる美しさや感動があった。幸いなことに、コンサルティングの仕事では私はそのプロジェクトの最終的な成功には責任を持たなくてよい。その結果、私の考える様々な化学の展開を思いのまま存分に話すことができた。もし、その展開の中の一つでも、その企業の技術者や研究者の心に響く言葉があればと願っていた。

　このように京都大学からハワイ大学、名古屋大学、シカゴ大学へと移動しながら私は「美しい化学」を研究してきたが、中部大学での12年間はそれまでの純正研究の課題を一掃した。純正研究をやめ、課題追究型の研究「応用研究」を開始したのである。この課題を思いつくまで2年以上の時間を使った。今はこの研究に没頭している。

　それが現在行っている「ペプチド（タンパク質の一部）」の化学である。

　最初は心ならずも「美しくない分野」に自分は入っていくのだという意識があったが、実際に始めてみると、その考えは杞憂となった。制限がある場所でこそ、より「美しい化学」が展開できることがゆっくりとわかってきた。

しかも、それまでの50年間の純正研究が無駄にはならなかった。50年間、人が考えなかったことだけに注目し、美しく、感動できる化学だけを追いかけて自分の積み上げてきた知識、あるいはほとんど自分では常識だと思っている思考が、応用研究の「ペプチド」でも通用することに驚いた。

私の破壊的イノベーション

きっかけは野依良治先生の言葉だった。

「有機化学は発展しているのに、ペプチド合成は誰も取り掛からない。アミド化の触媒がないのが不思議だ」

野依先生がこう言われたことが、ペプチドへの挑戦の最初の一歩を踏み出す勇気を私に与えてくれた。確かにペプチド合成は１９８４年のノーベル賞受賞者、ロバート・メリフィールド博士による「固相ペプチド合成」（１９６３年アメリカ化学会誌で発表）があまりにすばらしく、それ以来の研究はほとんどが「持続的イノベーション」に終わっていた。

「持続的イノベーション」とは現在すでに存在しているものを改善して起こす革新である。つまり、「持続的イノベーション」にはゲームチェンジがなかったのだ。

当時、識者と言われる人と話すと「ペプチド合成は終わったのだ」と言われたものだ。しかし、「固相合成」は驚くほど非能率であり、近代有機化学では考えられないものなのである。この問題に勇気を出して挑戦することが、失敗しても失うもののない私に託された使命だと思った。

大学は大変に配慮してくれて、研究室はほぼ私の希望通りになった。前述のように、テーマに選んだのはペプチド合成である。アミノ酸がつながった構造のペプチドは未来の創薬のエースと言われているが、その合成についてはあまり研究されていない。

私はペプチド合成で世界を席巻する自信があった。しかし、そのためには従来の合成法を完全に覆す方法を考えなければならない。その仕事に取り組んだ。

このような思い切った新展開を普通の研究者はしない。通常は何か取り掛かる手がかりをまず探す。そしてそれを中心に新しい展開を試みる。しかし、私にはペプチド合成の最初の手がかりは何一つなかったのである。

そこで、これまでやってきたルイス酸のプロジェクトの延長に何かないかと考えた。考えついたのは、これまでの有機合成は1個の官能基（有機化合物の化学的性質を決める原子の集団）の化学だったが、これを複数の官能基の化学に変えることができないかということだ。ペプチド合成の原料のアミノ酸は2個の官能基を持っているからである。

こうして「基質支配の化学反応」のコンセプトを世に出すことができた。

有機合成は歴史的に古く「反応剤支配」、つまり化学反応を起こす物質の官能基に着目する化学反応から始まった。そのため「基質支配」の化学反応は必ずしも十分には開発されていなかった。「基質支配の化学反応」は基質のすべての官能基に着目し、それを基点とすることで思い通りの反応を開発できる。つまり視点を変えて、二つか、それ以上ある官能基に注目してその性質を使って反応を展開する。これによって、これまでになかった化学反応を作るというコンセプトを私は創ったのである。成功すれば古典的有機合成化学を一変させる。

この私のコンセプトは段々と有機化学の分野に浸透し始めた。しかし、コンセプトだけでは反応開発に届かない。そこで実例として水酸基（-OH）を持つペプチドの反応性の研究に着手し、水酸基を基点とするアミド化反応（アミド結合）を開発した。触媒にはタンタルという金属を用いた。これまでほとんど使われることのなかった金属触媒だ。こうしてペプチド合成の最初のページを書くことができたのである。

これによって、古典的な「反応剤支配の化学反応」では達成できなかった「分子を真に位置と立体化学を制御して自在に合成する」ことができる。むつかしいけれど成功すれば、合成工程の飛躍的な短縮化が実現できるということである。

ペプチドの価格は比較にならないほど安くなる。

60年来の持続的な改革が進んだ「ペプチドの合成」で私は従来のものを根底から覆し、全く新しい合成法を提案した。これによって世界中のペプチド合成は数年以内に大きな変革をせざるを得なくなると確信している。

これが私の「破壊的イノベーション」である。

医薬のイノベーション

「破壊的イノベーション」とは、ハーバード大学のクレイトン・クリステンセン教授が20年以上前に発表した概念である。一つのイノベーションが始まると企業はその改良に走るいわば「持続的イノベーション」が始まる。それによって、製品のレベルは徐々に改善され、場合によっては市場の要求するレベルを遥かに超えてしまう。このような時期に「破壊的イノベーション」が開始されることが多い。たとえば、ハロゲン化銀の写真が、あっという間にデジタル写真に代わったように、突然以前の製品が市場からなくなり、新しい製品に席巻されるのが「破壊的イノベーション」である。

人間は太古の昔から様々な薬草を用いて医薬品を開発してきた。ギリシャ時代には発熱した人に柳の木の枝を煎じて飲ませれば熱を下げることを見つけた。おもしろいことに日本でも歯が痛いときに柳の木の枝をしゃぶっていると痛みがなくなるとわかっていた。これが現在のアスピリンの源である。人間は様々な自然が与えてくれる物質を、人間の体を使って実に壮大な「トライアル・アンド・エラー」を繰り返し、数千年にわたって医薬を探してきた。

近代医薬ですら、こうした「トライアル・アンド・エラー」の域を出ていない。製薬会社が医薬品の原料となり得る化合物（リード化合物）を探し、少しずつ分子設計し、薬効の向上を目指し、気の遠くなるほど多くの誘導体（ある化合物の一部分の構造上の変化によってできる化合物）を合成してきたが、これらは所詮、偶然の幸運を探すための作業だった。

化学合成によって製造される小さな分子の医薬品である。

一方で人間は、こうした偶然に頼らない、切れ味の良い、副作用のない、未来の医薬を目指して様々な試みも行ってきた。その一つの解答が体内のタンパク質とタンパク質との情報交換システムの解明と、その積極的利用である。すでにわかっているだけでも１万５千種類以上のこうしたタンパク質の情報交換システムが生体内で発見されている。詳細に解明されているのは１００種前後であるが、その数は年々増えている。このシステムを自在に制御すれば、究極の未来の医薬が誕生するのは明らかである。

こうした壮大な背景のもとに、医薬は従来の小さな分子の医薬から大きな分子の医薬へと、大きく舵を切ろうとしている。成功すれば、新しい医薬は従来の小分子医薬の殻を破り、本当の意味での「創薬」となる。

しかし、大きな分子ではその化学合成は不可能である。抗体医薬のほとんどは大分子で、高価で純度が低いうえに大量には化学合成できない。

タンパク質の一部であるペプチドは大きな分子（中分子）だが、手が届く価格の物質だと思われてきた。だが、残念ながらペプチドですら従来の医薬品の域を遥かに超える高価格で、全ての人類が使えるようになるには程遠い。

なぜそんなに高価格なのか。それはペプチドの合成が半世紀前の手法を百年一日のように繰り返してきたからだ。

私はこれに挑戦したのである。超低価格、高純度で大量合成にも向くペプチド合成である。これによって手の届く価格で究極の医薬品を提供できる。この技術を使った日本の製薬会社が世界のトップ10に入ることが目標である。

日本はこれまで「持続的イノベーション」を得意としてきたが、今や世界は「破壊的イノベーションか、さもなくば死か」という段階に入っている。我が国の覚醒に必要なのは、「持続的イノベーション」ではなく「破壊的イノベーション」である。世界が変わるほどのイノベーションでなければ、国の未来を変えることができないからだ。

個人最高額の研究費

ペプチド合成の研究を進める中で、私はその面白さに引き込まれていった。そこには、これまでの有機化学とは別世界の化学が存在した。しかも、それに挑戦する上ではこれまで半世紀にわたって研究してきたルイス酸の化学が再び役立ったのだ。新しい有機化学の分野を開くことができたのは、それ以前の仕事が私に与えてくれた何よりの贈りものとなった。

その後、私は中部大学の実験室を拡張した。

ペプチドの研究で何より大事なことは、社会実装を進めることである。いくら素晴らしい技術でも社会実装が伴わないと広がってゆかない。そのために必要なことは、私の場合、できるだけ多くの企業に私たちの研究の成果を実際に確認していただくことである。大学に一定期間来ていただき、実験していただくのが最上の手法である。

中部大学にはこの状況を理解していただき、実験室の大幅な拡張をしていただいたのだ。ゆっくりとではあるが、確実に広がっている私たちの技術を、可能ならば日本国内で完成してほしいものだ。

中部大学の理事長は理系の方で、こうした科学技術の伝搬に深い理解をいただいた。今後、我が国での新しい科学技術が誕生するためには、こうした大学のトップには理系の方がふさわしい。私はそう信じている。

実は途中、困難もあった。70歳代に入ってから研究費をいただくことが急に難しくなっていったのだ。これまで若い頃を除いて苦労したことがなく、研究費について気にしたことがなかったが、老齢の研究者でなく、将来ある若手の研究者をサポートすべきという論理で研究費の獲得が難しくなったのである。

この論理にはなるほどと思うが、日本の製薬業界が中分子創薬の世界に勝つためには私の研究は必要不可欠だと信じていた。この研究がなければ、日本の製薬業界が世界を制覇することはできないのだ。私たちに必要な研究費は、その後に行うことができる我が国の企業の展開から考えると微々たるものである。

しかし、いくら肩肘をはっていてもお金は入ってこない。そこで先述のように大学の研究室に企業の研究者を招くという新しい手法を取り入れた。企業の研究者に私たちの研究を研修していただき、その上で応分の費用をいただく手法である。これで私は息をつぐことができた。

もちろん企業化も考えられるが、数年後の利益を算定できるベンチャーとは違い、私たちの研究が成果を得るには10年以上の息の長い時間が必要である。こうした長期にわたる研究の支援は米国では普通だが、ベンチャーといえども我が国では非常に珍しい。これはリスクを極端に嫌う日本社会の特色でもある。

そして現在は本書の冒頭で述べたように、80歳を目前にして私は日本学術振興会の科学研究費助成事業「特別推進研究」として5年で5億の研究費をいただくことになったのだ。個人としては最高額の研究費で、私立大学としては異例の抜擢である。

誰が研究目標を決めるのか

我が国に必要なのは「持続的イノベーション」ではなく「破壊的イノベーション」であると前に述べた。イノベーションの重要性が叫ばれる中で、我が国の政策はこの問題と対決して久しい。「ムーンショット型研究開発」や「未来社会創造事業」（共に「破壊的イノベーション」を生むような挑戦的な研究開発を目指す政府主導のプロジェクト）など、様々な大型研究費が作られたが十分に機能しているだろうか。残念ながら、そのほとんどのプロジェクトでは「破壊的イノベーション」への橋わたしに失敗していると言わざるを得ない。

無数の持続的なイノベーションは生まれたが、持続的なプロジェクトでは本当のイノベーションとは言えない。米国の調査でも、持続的なイノベーションだけで「破壊的イノベーション」が誕生しなかった企業は数十年内に倒産すると言われている。これでは我が国が三流国になってしまうのは明らかである。

従来の大型研究費が必ずしも「破壊的イノベーション」に結びつかない理由はなんだろう。私は10年ほど前に、かなり大きな研究集団（分子技術）を主宰させていただいたことがあった。5年で数十億円の研究計画である。この計画では、工学を中心とした全く新しい研究を萌芽させることを目標とし、10名以上のすばらしい研究者を募集した。そして私はその一人ひとりが何を研究するかには一切口を挟まなかった。彼らが考えるイノベーションにつながる研究を思い切ってスタートしていただいた。この研究内容に一切干渉しなかったスタンスが大成功し、このプロジェクトのいくつかはその後の我が国のイノベーションの卵になり、今も成功し続けている。その研究を始め、推進する研究者の無から作り上げた創造が始まったのである。

我が国の大型研究プロジェクトが成功しない理由は明らかである。研究者に「こんな風に研究してください」ということが、「決して口出ししてはならない禁句」であることを主宰者が全く理解していないからだ。

たとえば本来の意味での「ムーンショット」のような「破壊的イノベーション」を生む

研究では、研究者自身が創造する、新しい世界を切り拓くプロジェクトだけが必要である。しかし日本の「ムーンショット型研究開発」では、国が未来を拓くと考える具体的な目標を設定し、その目標に向けて具体的なプロジェクトを作成し、そのどれかに所属し、その中のいくつかの目標に沿った研究をしなければならないという。これを聞いた私はこれでは成功しないと確信した。

いくら素晴らしい研究者を集めても、こうした規制の下では研究者本人が「自分は何を見つけるのか」を十分に描くことができない。この考え違いは深刻で、このような状況では新技術は発見できない。

では、その具体的目標は誰が考えたのだろうか。

私はその後、未来社会創造事業に審査員となって関わってきたが、私が依頼されたのは細かく分けられ、目標が決まっているプロジェクトに対する審査である。そして具体的な目標を決めたのは文科省の文官である。

これではダメだとすっかり失望した私は、その後その職を辞した。

創造過程を知らない文官

文系の官僚が考える内容は確かに見かけは面白そうであるが、研究者の「創造」の芽をすっかり閉ざしてしまう。文官たちは決して「してはいけないこと」をしてしまったのだ。もちろん、そうしなければ、野放図に研究費を使われるのをしっかりと規制できないと思われる官僚は多いだろう。しかし、そう思う人たちは「創造」がどのようなプロセスで育つかを理解していない。「創造」で何が出てくるかは、創造者自身も決して予想できないのである。

文科系の人たちは理系の研究者の創造のプロセスを全く知らない。本来、研究者は研究の具体的目標を自ら決めることが必要で、この目標はこれまでの研究には一切とらわれずに学術用語のない平易な誰でもわかる文章で作られる。そして、この目標に沿って何をすべきかを研究者は24時間考えることになる。血と汗の作業である。これらのプロセスには文系の官僚は入ることのできる可能性はゼロなのだ。

「創造」のために研究者は自ら「こうなると素晴らしいのに」「なぜこんなことができていないの」と考えることから始める。これまでのやり方では不便で困ることを見つけ、その問題に対するゲームチェンジがないかと考え続けることが「創造」の出発点だ。

　ゲームチェンジは簡単ではない。しかし、「あるものが障害になって解けないままになっている問題」を素直に探す。「創造」とは、この問題を探すことから始まる。

「破壊的イノベーション」のようなゲームチェンジを目標とする問題の発見は非常に難しい。なぜ難しいのか。それは科学技術の社会では、以前に打ち立てられた様々な科学技術のルールは決して触ってはいけないと教育されているからだ。ほとんどの研究者はこれが「常識」として、頭に入ってしまっている。この「既成概念」を否定するのは、これまでの学理を否定し、学問において尊敬する人を否定することにもなる。

　しかも、これまで打ち立てられていたゲームのルールはそれなりに極めて精緻に作られており、それを否定することは強い決心と実行力がいる。しかし、この「既成概念」を否定するという関門を通った人だけが次のステージに進むことができるのである。

　この段階で数年かかることは珍しくない。しかし、このゲームチェンジの目標を立てるのに数年かかってもいいと私は思う。もちろん、小さな課題を解決するのに長い時間を浪費するのはもったいないが、大きな課題の場合には数年でも問題ない。
それからが戦いである。

24時間考えを絞れ

まず、その分野のほとんどの人たちの意見に反対して、研究を始めなければならない。「既成概念」を否定するからである。また、自分の研究分野にはとらわれず、必要だと思う勉強をしなければならない。何しろ全く新しい考えで、これまでの当たり前の常識をひっくり返さないといけない。そのためには既存の学問分野の枠を越えての勉強が必要だ。粘り強く、自分を信じて様々な考えを巡らす。

大きな研究では、考えても考えても堂々巡りし、自分が考える正解に行きつかない。この時間のプレッシャーに耐え、粘り強く立ち向かう人が成功者となる。私はイノベーションに成功する秘訣は「24時間考えを絞ることだ」と若い共同研究者に言っている。

私たちの研究は学者が自分で実験を今でもやっていると思われている場合が多い。先生によっても違うが、だいたいは大学院やポスドク時代（ポスドクとはポストドクターの略で博士課程修了の研究者のこと）が終わると実験はしなくなる。その代わり、実験している人への助言や提案が主な仕事になる。

前にも述べたが、コーリー先生は実験室を日に2、3回は歩いて、実験の結果を聞いて回る。その際に新しい試みやアイデアをメモに書いて渡す。翌日は必ずその結果を聞かれる。しかも重要なテーマでは3、4時間経つとすぐに実験室に来て、どうだったと聞く。私も先生のグループに入ると、いつの間にか研究のテーマに関しては24時間考え続け、もっといい方法がないかを絶え間なく考えるようになった。

私の研究グループの場合には週に1回、全員との面談を行う。向山先生は毎日実験室を歩いておられたし、野崎先生は週に1回の面談であった。そして私は野崎先生の流儀を受け継いでいる。その方が研究者が自分で考える余地を残しているからである。

プロジェクトを文字通り24時間考え続ける。寝ているときも考える。そして、夜の夢にプロジェクトがでてきたら成功は近い。これほど考えると、考えが堂々巡りし始める。そこで、考えることをいったんやめて、今度は少し距離を置いてプロジェクトを遠くから考えることだ。根を詰めて考えるのではなく、少し距離を置いて、ぼんやりとプロジェクトの全体像を見直すことである。

このような研究者のプロセスを無視して常識的な「目標」を設定することが、いかに「創造」を阻害することになるか。文官たちは手を入れてはいけない領域に入ってしまったと言える。彼らが提案するプロジェクトは100パーセント、「持続的イノベーション」以下である。

もちろん、大きなお金が動くほど、官僚はそのお金が目標に対して正しく使われているかを注視しなければならないだろう。制御が必要であると考えるのは自然である。だから研究内容に手を入れてはならないとなると困惑するのは理解できる。

その際に彼らが行える唯一の作業は研究者の「人選」である。それまでの10年、20年の期間、十分に創造的な研究を行い、それに沿った素晴らしい成果を挙げたかどうか。それだけで研究費を与える研究者の人選を進めるべきである。しかし、現在の日本では実績だけでなく、文官が定めた目標にどうやって対応するかが「人選」の判断に影響を及ぼしている。

では、米国ではそういった「人選」はどうしているのだろうか。

米国の研究費を与えるための「人選」で一番参考にするのは「何をしたいか」である。

研究費の申請書におけるこれまでの論文実績や功績は、全体の1割以下の比重でしかない。米国では「本人がしたいこと」を自由に書くよう要求している。この研究内容に文官が目標やその他の手を入れないことが重要である。

一方で、米国では研究者の申請書は、ワシントンに集合した審査員全員（全員科学技術者）によって一人ひとり審査される。2、3日かかるが審査員で一人ひとりの申請書を議論する。時間はかかるが、申請者と今後予想される研究の展開を議論することができ、大変に有効である。

まっさらな学問を

岸田文雄総理の会見では「持続性」という言葉をよく聞く。福祉や平和は持続性が必要かもしれないが、現状を維持することに汲々としていてはその社会は決して発展しない。特に、持続性はイノベーションの世界では禁句である。「持続的イノベーション」は科学技術では確実にその分野の死を意味するからである。日本社会が持続性の堅持を目標とする限り、発展はなく、凋落あるばかりになる。

福祉や平和でも持続性ばかりではいけないことも多い。福祉の手法も100年同じではなく、さらに効率の良いものがあるはずだ。また、平和を守る手法もさらに確実な政策を選ぶことは大変重要ではないだろうか。そう考えると「破壊的イノベーション」という言葉も、科学技術の用語で済まさず、人間の行う行為全てにわたって広く認識すべきであり、人は皆「破壊的イノベーション」を志すべきではないだろうか。現状維持は決して良き社会を作る上で守るべき重要な標語にはならないはずだ。

人間の歴史を紐解いても、人が旧来の手法を捨て、新しい展開を求めることで社会は発展してきた。たとえば、明治維新も旧来の幕府を頂点とする封建社会のあり方を捨て、当時としては全く新しい四民平等の民主主義社会に切り替えたのではないだろうか。この大きな切り替えは、老人ではなく、驚くほどの若者がその舞台を構築し、活躍したのは皆承知している。イノベーションは何も科学技術だけの問題ではなく、社会のあり方まで変えてしまうものの考え方であった。

私の母方の実家は神戸の資産家であった。明治維新の際に油脂、石鹸、マッチなどの江戸時代にはなかった新しい分野の市場を作り、いくつかの企業化に成功し、大きな利益を獲得した。当時桁外れの金持ちであった。第二次世界大戦などが重なり、また私の世代になって完全に凋落してしまったが、全盛期時代の繁栄ぶりは話を聞くだけでも面白かった。明治維新以降、江戸時代の常識はほとんど通用しなかっただろう。その時代の若者には何もかも目新しい素晴らしい時代だっただろう。江戸時代には全く存在しなかった市場を切り開くことができたのではないだろうか。私の祖先はその時代の流れに乗った。

一度成功すると、さらに発想に制限がなくなる。一層の伸びやかな工夫が可能となる。この自由な発想で、祖先はその後も次々と起業に成功し続けた。

私はこうした既存の制限の撤廃が、科学技術のイノベーションには何よりも必要だと思う。十分な資産があるから発想が自由になると思うだろうが、資産が必ずしも必要条件ではない。問題は若者が自在に発想できるかどうかだからだ。

若者は旧来の手法にこだわりがない。あるいは旧来の手法を知らないと言った方が良い場合もある。つまり、知識がかえって邪魔をする場合もあるのだ。私が若者に独立した研究ポジションを与えるべきだと標榜するのは、そうしなければ「破壊的イノベーション」に行き着かないからだ。欧米の大学では当たり前のように若手研究者に独立した職務を与えている。前に述べたが、ドイツでは若者がこうした研究ポジションについて研究を始めて、10年経っても新しいイノベーションに行きつかない場合には彼らから指導者としての職を奪ってしまう。これほどの強烈な制度は我が国には馴染まないと思うが、そこまでして「破壊的イノベーション」を求める社会は成長する。

博士号を持った若者に自由に発想させ、全く新しい学問を始めさせることが我が国には必要だ。大学の講座制の中で自分の発想ではない学問を無理矢理やらされるのではなく、また、自分が学んだ学問の二番煎じでもなく、まっさらな新しい学問を発掘することが重要である。

日本人は感性が限りなく豊かである。論理の末のプロジェクトではなく、センスの良い日本人が考えて生み出したプロジェクトは「破壊的イノベーション」に到達するすべての要素を備えている。つまり、日本人は持続性の保持よりも、思い切った飛翔に長けている。そのことをしっかりと受け止め、明日の日本社会と日本発のイノベーションを育ててゆくことを目標にすべきである。

科学技術は、明治維新当時の息吹を取り戻すべきだ。

化学という無二の親友

シカゴから日本に帰って驚いたのは武田邦彦(たけだくにひこ)先生（元中部大学特任教授）が有名人になっていたことだ。武田先生とは名古屋大学時代に、私が提唱した工学教育の問題に関する研究会に芝浦工業大学から参加いただいていた。先生はテレビ番組『ホンマでっか!?ＴＶ』（フジテレビ）に出演して大変に有名になられていたが、その番組に出演しないかと誘われた。最初はそれほど気乗りがしなかったが、回数を重ねるとそれなりに面白いと思うようなった。テレビに出演することで、全く違う景色を味わえた。明石家さんまさんやマツコ・デラックスさんには「こんなとこに出ちゃあだめよ」と忠告された。しばらくして番組の仕組みがすっかり変わり、お呼びがかからなくなった。私はこうした番組で日本の教育改革の問題を話したかったが、それには残念ながら届かなかったようだ。

そこでいつも考えていることを書き始めた。文章を書くのは昔から嫌いではなかったので１日に１０００字くらいは問題なく書ける。さらに中日新聞の半年間の連載「紙つぶて」が好評だったので、少し自信が出てきた。「紙つぶて」は毎週違ったトピックスを書く連載だが、私はひと月くらいで半年分を書き上げ、編集者に送った。1回分の字数は少ない連載だが、それでも驚かれていた。やはり新聞の力は大きく、「読んでますよ」「来週を楽しみにしています」などの励ましの電話や手紙をいただいた。こんな小さな記事でも丹念に読んでおられる人がいることに感動した。

その後、少し書き溜めた原稿が本になったのが『日本人は論理的でなくていい』『日本の問題は文系にある』（共に産経新聞出版）である。世界を席巻するイノベーション創出の方法を書いたつもりだった。この2冊の本は日本の若い人にぜひとも読んでほしいと願っている。

本の出版時には、櫻井よしこさんが書評を書いてくださり、櫻井さんが主宰する「言論テレビ」やBSフジ「プライムニュース」の出演でもご一緒させていただいた。櫻井さんは、確固としたご自分の信念で人生を生きておられる。日本にはとても貴重な人材で、日本の灯台の役を果たしておられる。本当にいい人に巡り合った。

私たち夫婦は寿司屋のカウンターで友達を作るのが大好きだが、同じスタイルで友達になったのが伊藤好子さんである。彼女は愛知県の老舗の生菓子屋さんの社長で、妻とすっかり気が合い、今では毎日のようにお会いしている。幸い妻は料理を作るのが大好きで夜の食事も毎食５品以上作っている。彼女はこの食事がすっかり気に入って、ほとんど毎日のように我が家の食事に参加される。さすがに大きな企業の社長さんで、バランスの取れた考えをいつも話してくれる。私たちにとって、かけがえのない人になった。

一方で、40年近く通い続けた寿司屋の大将が亡くなった。彼がまだ修行中からの付き合いで、彼が店を替わるごとに「ひっこく」ついていった。彼が亡くなったことは私には本当にショックだった。日本の食べ物の中で最も大切な寿司である。彼は私たちの食の嗜好を極めて明瞭にわかっていたと思う。だから、私たちは何の躊躇いもなく、彼の作ったものを口にするのだ。こんな人が世界にいるだけで幸せだった。その彼が亡くなった。彼がいたという幸せを以前は十分には認識していなかったと後悔している。

同じように大好きな寿司屋の大将が七尾（石川県七尾市）にいる。七尾湾は他では見ることのできない様々な魚介類が豊富で、彼はそれを素晴らしい形で私たちに提供してくれる。大将は元々魚の匂いが大嫌いだったそうだが、だからこそ魚の香りを生かすことができるのだと思う。スリースターのレストランは、たとえ遠いレストランでも旅行して食べにゆく価値のある店であるというが、彼のレストランはそういう寿司屋だ。

私は車の混み具合もあって、朝6時前には大学に到着し、15時過ぎには帰宅することにしている。野崎先生に言われたように、人は9時間も真剣に仕事をすると、疲れるはずで、そうでなければ、真剣に仕事をしていないのだ。私の場合はその間、化学のことだけを考えている。一所懸命に考え、ふと気がつくと新しいアイデアが浮かんでいる。これが何より楽しい。

80歳になった今も小学生の頃と同じである。

私はまっさらな新しい学問を追い求めてきた。

そして今、私のペプチド合成はメリフィールドの時代の鎧をすっかり剥ぎとって、全く新しい化学に生まれ変わった。新しいペプチド合成は新しいコンセプトをいくつも融合して、これまでの常識が全く通じないものになった。これらのコンセプトは、ペプチド合成だけでなく、今後の有機化学全体に影響を与えることができるまで育ったのだ。

私の人生は走り通した人生だった。そして、今も走っているし、今後も死ぬまで走り続けるだろう。化学という無二の親友との長い旅だった。しかし、悔いることは何一つない。

これしかできなかった私だから。

そしてかけがえのない素晴らしい人に会い、さまざまなことを教えていただいた。特に妻との出会いは私の人生を輝かしいものにしてくれた。こうした人たちとの出会いがなければ、私の人生は色褪せたものになっただろう。

山本尚（やまもと・ひさし）

1943年、兵庫県生まれ。中部大学ペプチド研究センター長、卓越教授。名古屋大学特別教授、シカゴ大学名誉教授。京都大学工学部工業化学科卒業。ハーバード大学大学院化学科博士課程修了。東レ基礎研究所に10カ月勤務したのち、京都大学工学部助手。その後、ハワイ大学准教授、名古屋大学助教授・教授、シカゴ大学教授などを歴任し、2011年に中部大学教授に就任。元日本化学会会長。2017年に有機化学で最も権威ある「ロジャー・アダムス賞」受賞。2018年に瑞宝中綬章、文化功労者。
著書に『日本人は論理的でなくていい』『日本の問題は文系にある　なぜ日本からイノベーションが消えたのか』（産経新聞出版）。

80歳・現役科学者

感動の履歴書

令和5年9月24日　第1刷発行

著　　者	山本尚
発 行 者	赤堀正卓
発 行 所	株式会社産経新聞出版
	〒100-8077 東京都千代田区大手町1-7-2 産経新聞社8階
	電話　03-3242-9930　FAX　03-3243-0573
発　　売	日本工業新聞社　電話　03-3243-0571（書籍営業）
印刷・製本	株式会社シナノ
	電話　03-5911-3355

ISBN 978-4-8191-1428-8